# MERCHED PERYGLUS

Golygwyd gan
Angharad Tomos
a Tamsin Cathan Davies

Cyhoeddwyd gyntaf yn 2023
gan Honno
D41, Adeilad Hugh Owen, Prifysgol Aberystwyth,
Ceredigion, SY23 3DY

www.honno.co.uk



Ceir cofnod catalog o'r llyfr hwn yn y Llyfrgell Brydeinig

ISBN: 978-1-912905-88-1
e-lyfr ISBN: 978-1-912905-89-8

Llun y clawr: Menna Machreth gyda'i mab yn annerch rali Cymdeithas yr Iaith

Cysodydd: Tanwen Haf
Dylunydd y clawr: Mad Apple Designs
Argraffwyd: 4Edge

# MERCHED PERYGLUS

Golygwyd gan
Angharad Tomos
a Tamsin Cathan Davies

# Cynnwys

# Rhagair

Fuo 'na erioed Adran Fenywod yng Nghymdeithas yr Iaith, a'r gred yw fod y mudiad wedi rhoi lle mwy blaenllaw i ferched na sawl mudiad arall. Ond er i ferched fod yn rhan greiddiol o'r mudiad o'r cychwyn, doedd eu statws ddim yn gydradd. Does raid i chi ond darllen cyfraniad un o'r aelodau cynnar, Llinos Dafis, i glywed mai ei swyddogaeth hi oedd gwneud cinio i aelodau gwrywaidd y Gymdeithas pan ddaethant i gyfarfod yn ei chartref!

Y wraig gyntaf i fynd i garchar oedd Gwyneth Wiliam, a hynny yn agos iawn at yr adeg y carcharwyd y dyn cyntaf yn ymgyrchoedd Cymdeithas yr Iaith. Oherwydd nad yw gweithredu tor cyfraith yn beth poblogaidd, roedd y Gymdeithas yn croesawu yr un nifer o ferched ag o ddynion i weithredu. Ac o ran carchariadau, teg dweud mai rhyw hanner yn hanner yw cyfartaledd y merched a'r dynion. Ond does raid i chi ond edrych ar enwau'r swyddogion cynnar i weld pa mor brin yw'r enwau benywaidd. Ac felly y bu am amser maith.

Pan oedd y mudiad yn ugain oed, bu sôn am gael merch i lenwi swydd y cadeirydd am y tro cyntaf. Bu rhai yn pwyso arnaf innau i dderbyn y cyfrifoldeb, ond gwrthod wnes i. Petawn yn gwneud smonach ohoni, doeddwn i ddim am gael y cyhuddiad mai wedi methu ar sail fy rhyw oeddwn i. Diffyg hyder oedd hynny, a derbyniodd Meri Huws y swydd, gyda minnau'n ei dilyn y flwyddyn ganlynol. (Ar yr un pryd, doedd Margaret Thatcher heb betruso dim ynglŷn â bod yn brif weinidog benywaidd cyntaf Prydain!)

Cred llawer fod cyfleoedd cyfartal i ferched yng Nghymdeithas yr Iaith, ond dim ond i raddau mae hynny'n wir. Tra bod merched heb blant, mae bod ar bwyllgorau ac yn rhan o ymgyrchoedd a gweithredu yn weddol rwydd. Ond pan ddônt yn famau, maent yn diflannu i ryw fyd lle nad oes disgwyl iddynt ddychwelyd am ryw saith mlynedd, os o gwbl. Bu hyn yn brofiad i gynifer o aelodau benywaidd, ac ni wnaed

Sut mae cyfuno mamolaeth ac ymgyrchu? Heulyn Greenslade ar glawr *Y Tafod*, 1988 (llun: Suzanne Greenslade)

dim i newid y sefyllfa. Mor ddiweddar â'r nawdegau cynnar, cododd rhai merched eu lleisiau gan ddatgan fod gofal plant yn angenrheidiol os oedd disgwyl i famau barhau i fod ar bwyllgorau. Araf iawn fu'r symud tuag at hyn yn y cyfarfod cyffredinol ac ar achlysuron eraill, a thua'r adeg yma y soniwyd gyntaf am 'Merched Peryglus'. Y syniad oedd cael grŵp o ferched i bwyso am newidiadau megis gofal plant, cyfle cyfartal, tâl mamolaeth i swyddogion y mudiad ac ati. Siân Howys, mi gredaf, gyflwynodd y teitl, a ysbrydolwyd gan Waldo. Ni ddatblygodd y grŵp, a falle fod hynny ynddo'i hun yn dweud llawer. Bu sôn am gael cyfrol oedd yn casglu ynghyd brofiadau merched Cymdeithas yr Iaith, ond ni wnaed y gwaith.

Yr hyn newidiodd y sefyllfa oedd ffilm fer ond ffilm bwysig iawn gan Gwenllian Llwyd, merch y gweithredwyr hynod, Enfys a Cen

Llwyd. Gwelodd hi bwysigrwydd y testun, ac aeth ati i recordio cyfweliadau gyda rhai o ferched Cymdeithas yr Iaith. Bu'r ymateb i'r ffilm yn rhyfeddol, roedd fel petai yn datgelu haen gudd o hanes diweddar Cymru. Deuai pobl o'r dangosiad gyda dagrau yn eu llygaid gan ddweud, 'Wydden ni ddim am hyn. Pam?' Yn Eisteddfod Tregaron 2022 y dangoswyd y ffilm, a hynny ddeufis wedi marw Cen Llwyd.

Yn ystod Cofid, dyma gofio am y syniad o gasglu profiadau merched mewn llyfr, a dyma wneud apêl ar ferched fu'n rhan o'r mudiad iaith yn ystod y 60 mlynedd i adrodd eu hanes. Mae'r cyfan wedi ei gofnodi rhwng y cloriau hyn. Mae'n siŵr fod cymaint mwy o straeon i'w hadrodd. Y gobaith yw y bydd y straeon hyn yn help i ddeall y mudiad yn well, ond credaf mai'r prif gyfraniad fydd ysbrydoli eraill i gymryd rhan yng Nghymdeithas yr Iaith. Dyna'r gobaith yn wir.

Gan ddiolch o waelod calon i bawb a rannodd ei stori,

**Angharad Tomos**

Angharad Tomos a'i ffrind gorau! Awst 1981

# Y 1960au a'r 1970au

Ar 13 Chwefror 1962, darlledodd y BBC ddarlith radio Gŵyl Ddewi a draddodwyd gan Saunders Lewis, sef *Tynged yr Iaith*. Rhybudd Saunders yn y ddarlith honno oedd:

> Mi ragdybiaf [...] y bydd terfyn ar y Gymraeg yn iaith fyw, ond parhau'r tueddiad presennol, tua dechrau'r unfed ganrif ar hugain, a rhoi bod dynion ar gael yn Ynys Prydain y pryd hynny.[1]

Nododd y ddarlith absenoldeb y Gymraeg o fywyd cyhoeddus yng Nghymru. Prin oedd y dogfennau swyddogol oedd ar gael yn Gymraeg, Saesneg oedd unig iaith swyddogol y llysoedd a'r gwasanaethau cyhoeddus, doedd dim addysg cyfrwng Cymraeg y tu hwnt i'r ysgol gynradd a doedd dim hyd yn oed arwyddion ffyrdd Cymraeg. Bwriadwyd y ddarlith fel neges i Blaid Cymru, ond bu'n ysbrydoliaeth i gychwyn mudiad newydd. Sefydlwyd Cymdeithas yr Iaith yn ystod Ysgol Haf Plaid Cymru ym Mhontarddulais yn 1962. Ei gweithred gyntaf oedd protest yn Aberystwyth pan osodwyd posteri ar y Swyddfa Bost a rhwystro traffig ar Bont Trefechan mewn ymgais i gael gwysiau Cymraeg. Roedd y ddarlith wedi canmol ymdrechion Eileen Beasley a'i gŵr Trefor i gael ffurflen dreth yn Gymraeg yn y 1950au. Gwrthododd Mrs Beasley dalu'r dreth leol nes derbyn ffurflen ddwyieithog yn 1960. Yn yr wyth mlynedd rhwng gofyn am ffurflen yn Gymraeg a'i derbyn, ymddangosodd Eileen a Trefor o flaen llys yr ustusiaid dros ddwsin o weithiau a cholli eu heiddo i'r beilïod dair gwaith. Awgrym Saunders Lewis

1. Saunders Lewis (2012). Tynged yr Iaith gyda Rhagymadrodd gan Ned Thomas. Llandysul: Gomer, t.41.

oedd bod angen dilyn eu hesiampl drwy weithredoedd tebyg.

Bu safiad Eileen yn y 1950au, heb fudiad i'w chefnogi, yn ysbrydoliaeth a model i ymgyrchwyr iaith a'i dilynodd. Fe'i gwelwyd yn fam oedd yn gweithredu'n uniongyrchol dros y Gymraeg, ond bu'n gweithio o fewn y system wleidyddol hefyd – agwedd arall ar ymgyrchu iaith sy'n parhau hyd heddiw. Yn 1958, etholwyd Eileen yn gynghorydd sir yn enw Plaid Cymru: yr unig gynghorydd benywaidd mewn cyfnod pan nad oedd hyd yn oed toiledau merched yn adeiladau'r cyngor. Gwelir ei dylanwad mewn nifer o'r atgofion o'r 1960au a'r 1970au – gwrthod cofrestru yn y brifysgol heb ffurflenni Cymraeg, gwrthod cofrestru babi gan nad oedd yn bosib gwneud hyn yn Gymraeg, a llawer mwy o enghreifftiau. Tra oedd merched iau yn cymryd rhan mewn ymgyrchoedd i ddifrodi arwyddion uniaith Saesneg er mwyn ceisio cael arwyddion yn Gymraeg, meddiannu tai haf i dynnu sylw at yr effaith niweidiol yr oedd y rhain yn ei gael ar gymunedau Cymraeg, a phrotestiadau cyhoeddus eraill er mwyn cael sianel deledu Gymraeg, bu merched hŷn yn gweithredu mewn ffyrdd yr un mor radical – yn ymgyrchu dros hawliau eu merched a oedd yn y carchar er enghraifft, yn gwrthod talu trethi heb ddarpariaeth Gymraeg, neu'n talu dirwyon merched iau a oedd wedi cymryd rhan mewn gweithredoedd anufudd-dod sifil.

Eileen Beasley – protest yn Swyddfa Bost Caerdydd, 1974. Parhaodd Eileen yn weithredol gyda'r Gymdeithas am flynyddoedd ar ôl ei phrotest gyntaf yn y 1950au. Bu i brinder y gwasanaethau Cymraeg drwy'r Swyddfa Bost wneud Swyddfa Bost Aberystwyth yn darged i brotest gyntaf y Gymdeithas pan osodwyd posteri ar yr adeilad gan y protestwyr yn galw am ddefnyddio'r Gymraeg, cyn symud ymlaen i rwystro Pont Trefechan.

***Wendy a Gwenno***

(Gŵyl Ddewi, Llanfyllin, 1972)

Pam na ddywedodd rhywun wrthyf fi
Pwy oedd y ddwy ferch ifanc bigai'r bwyd,
Wrth ddathlu Dydd Gŵyl Dewi gyda ni
Yr hen, a'r canol oed wynebddoeth llwyd?
Pa beth a âi trwy eich meddyliau gwyrdd
Wrth wrando ar fân siarad gwag a chân
Am Gymru gynt, a champ ei harwyr fyrdd
Yn golau yn ein tir eu coelcerth dân?
A minnau y gŵr gwadd, a'm haraith frys
Yn denu ag ystrydeb wên ar wedd,
Heb wybod am eich dewrder gerbron llys
Drannoeth, a'ch argyhoeddiad megis cledd.
Pam na ddywedodd rhywun wrthyf, pwy
A rannai'r bwyd? Gwyn fo eich byd chi'ch dwy.

**Emrys Roberts**

Mai Ifans, Llanfyllin, a fu yn y llysoedd am wrthod talu treth incwm (enillion cyfalaf) heb ddogfennau Cymraeg, yn 1973, a cherdd Emrys Roberts i nith Mai Ifans, Gwenno Peris Jones, a gafodd ei harestio gyda merch ysgol arall o Ysgol Llanfyllin, Wendy Llwyd, am beintio arwyddion yn 1972. Yn ôl adroddiad yn rhifyn Mawrth 1972 o Tafod y Ddraig, cylchgrawn y Gymdeithas: '[c]ododd pedwar ynad di-Gymraeg o'u seddau pan ddaeth eu hachos ger bron, gan adael yr ynadon Cymraeg. Mynegodd tri gŵr amlwg eu cefnogaeth i'r hyn a wnaeth Wendy Llwyd a Gwenno Peris Jones (Prif Ddisgybl yn yr ysgol) – sef Mr W.J. Jones (Is-brifathro'r ysgol), G.T. Mostyn, a Gwylfa Morgan (Gweinidogion), ond hyd yn oed ar ôl i Brifathro Ysgol Llanfyllin siarad yn uchel am y ddwy nid oedd y fainc yn fodlon eu rhyddhau'n ddiamod ...' Gosodwyd amod arnynt i ufuddhau i'r gyfraith am flwyddyn, ynghyd â chostau.

Amlygir lle menywod yn y gymdeithas yn glir. Er bod merched ar bwyllgor y Gymdeithas ers y dechrau, yn y cyfnod hwn nid oedd cadeirydd benywaidd a dynion oedd yn cymryd y rolau 'mawr' ynddi. Mewn gwirionedd, cofia Menna Elfyn un aelod gwrywaidd yn mynnu na fyddai aelodau'r Gymdeithas yn derbyn menyw fel cadeirydd a'i fod yn siarad ar ran holl ddynion y mudiad! Nodweddiadol o'r cyfnod hwn yw'r adroddiad yn *Tafod y Ddraig*, Rhagfyr 1969, sy'n rhestru'r swyddogion ac aelodau'r pwyllgor a etholwyd yng nghyfarfod cyffredinol 1969 – dynion yw pob un o'r saith swyddog, ac o wyth aelod y pwyllgor canol dim ond un sy'n fenyw, sef Gwyneth Wiliam. Gwyneth Wiliam oedd y fenyw gyntaf i gael ei charcharu dros yr iaith yn 1966, wrth iddi wrthod talu am dreth cerbyd heb ffurflen Gymraeg fel rhan o ymgyrch a welodd y dyn cyntaf, Geraint Jones, yn mynd i'r carchar yn Ebrill 1966, ychydig o fisoedd ynghynt. Cydraddoldeb o ran gweithredu ond nid arwain, efallai. Gwelir rhai merched hefyd yn cymryd cam yn ôl oddi wrth weithredu uniongyrchol wrth iddynt fagu plant. Dyma rywbeth nad oedd yn digwydd gyda'r dynion. Mae erthygl Gina Miles o'r 1960au yn creu darlun trawiadol o'r wraig gartref gyda'r plant tra bod ei gŵr yn mynd allan i ymgyrchu. Eto i gyd, mae hi'n gwrthod y syniad a oedd wedi ymddangos yn y wasg ar y pryd ei bod yn ddioddefwraig oddefol i weithredoedd ei gŵr. Mae'r ddau, yn ei thyb hi, yn gweithio tuag at yr un nod.

### *Cân y di-lais i British Telecom*

**Menna Elfyn**

'Ga i rif yng Nghaerdydd, os gwelwch ...'
*'Speak up!'*
'GA I RIF YNG NGHAER?'
*'Speak up – you'll have to speak up.'*
Siarad lan, wrth gwrs, yw'r siars
i siarad Saesneg,
felly, dedfrydaf fy hun i oes
o anneall, o ddiffyg llefaru,
ynganu, na sain na si
na goslef, heb sôn am ganu,
chwaith fyth goganu, llafarganu,
di-lais wyf, heb i'm grasnodau
na mynegiant na myngial.

Cans nid oes im lais litani'r hwyr,
dim llef gorfoledd boreol
nac egni cryg sy'n cecian, yn y cyfnos.
Atal dweud? Na. Dim siarad yn dew,
dim byrdwn maleisus, na moliannu.

Ac os nad oes llef gennyf i,
ofer yw tafodau rhydd fy nheulu,
mudanwyr ŷm, mynachod,
sy'n cyfrinia mewn cilfachau.

Ym mhellter ein bod hefyd
mae iaith yn herwr
yn tresmasu, ei sang yn angel du,
gyrru'r gwaraidd – ar ffo.

Wrth sbio'n saff, ar y sgrin fach
gwelaf fod cenhedloedd mewn conglau mwy
yn heidio'n ddieiddo;
cadachau dros eu cegau,
cyrffiw ar eu celfyddyd,
alltudiaeth sydd i'w lleisiau,
a gwelaf fod yna GYMRAEG rhyngom ni.

A'r tro nesa y gofynnir i mi
'siarad lan',
yn gwrtais, gofynnaf i'r lleisydd
'siarad lawr',
i ymostwng i'r gwyleidd-dra
y gwyddom amdano, fel ein gwyddor.
Ac fel 'efydd yn seinio'
awgrymaf nad oes raid wrth wifrau pigog,
bod i iaith wefrau perlog,
a chanaf, cyfathrebaf
mewn cerdd dant,
yn null yr ieithoedd bychain;
pobl yn canu alaw arall
ar draws y brif dôn,
er uched ei thraw,
gan orffen bob tro
yn gadarn, un-llais,
taro'r un nodyn – a'r un nwyd,
gan mai meidrol egwan ein myfrau.

'A nawr, a ga i –
y rhif yna yng Nghaerdydd?'

Cerdd gan Menna Elfyn am ei phrofiad o siarad â BT cyn iddynt gynnig gwasanaeth Cymraeg. Noda Menna: 'Cyfieithodd R.S Thomas y gerdd fel y medrwn ei hanfon at y llys ynadon fel taliad am y ddirwy a gefais. Rhyw fath o ystryw/ stynt ydoedd ond erbyn hyn rwy'n trysori'r gerdd yn enwedig gan i R.S ddweud droeon iddo ei hoffi'.

Mae rhai elfennau eraill o statws menywod yn y gymdeithas yn cael eu hadlewyrchu yn agweddau Cymdeithas yr Iaith. Noda Helen Smith ei hanniddigrwydd ynglŷn â phoster a oedd yn rhagdybio mai dim ond dyn a allai weithio i gefnogi'r teulu. (Cafodd gyfle i feirniadu hyn mewn erthygl yng nghylchgrawn y Gymdeithas, y Tafod, ond dim ond ar ôl i'r poster ymddangos.) Fodd bynnag, y brif argraff yw un o ferched hyderus yn cymryd rôl flaenllaw mewn ymgyrchoedd a newidiodd eu gwlad yn sylweddol mewn amser eithaf byr.

Protest UMCB, Bangor, 1978: ffurfiwyd Undeb Myfyrwyr Colegau Bangor (UMCB) yn 1976 gan fyfyrwyr Cymdeithas y Cymric, Coleg Prifysgol Gogledd Cymru (bellach Prifysgol Bangor), mewn ymateb i bolisïau iaith a Seisnigeiddio'r Brifysgol. Yn 1978–79, roedd protestio yn erbyn polisi ehangu'r Brifysgol a diffyg defnydd o'r Gymraeg.

# Llinos Dafis

*Bu Llinos yn rhan o brotest gyntaf Cymdeithas yr Iaith pan rwystrodd rhai o'r aelodau Bont Trefechan, Aberystwyth. Roedd ei gŵr, Cynog Dafis, yn gadeirydd ar y Gymdeithas rhwng 1965 ac 1966.*

Roeddwn i'n fyfyriwr yn Aberystwyth rhwng 1959 ac 1963. Yn 1961 roedd nifer ohonon ni wedi gwrthod cofrestru yn fyfyrwyr ar ddechrau tymor yr hydref am nad oedd ffurflenni Cymraeg i'w cael, ac roeddwn wedi bod yn gwneud nifer o fân brotestiadau unigol ers dyddiau ysgol.

Roeddwn i'n bresennol yng nghyfarfod cyntaf y Gymdeithas. Yn Ysgol Haf y Blaid ym Mhontarddulais y penderfynwyd sefydlu'r Gymdeithas, heb ddewis enw iddi. Doeddwn i ddim yno, roeddwn i'n brysur ar y pryd yn paratoi ar gyfer actio anterliwt ar gambo ar faes

Tedi Millward, Tegwyn Jones, John Daniel a Beti Jones y tu allan i stondin y Gymdeithas, Eisteddfod Abertawe 1964 (llun: Dr E.G. Millward)

yr Eisteddfod yn Llanelli!! Dw i'n credu 'mod i'n iawn i ddweud mai yn y Belle Vue yn Aberystwyth y cynhaliwyd y cyfarfod busnes cyntaf – cyfarfod cyffredinol efallai – a dyna pryd y dewiswyd enw iddi, a'r diweddar John Bwlchllan a'r diweddar Tedi Millward yn gyd-ysgrifenyddion. Roeddwn i yno ond fues i erioed yn aelod o'r pwyllgor canol – er 'mod i'n cofio paratoi cinio i'r aelodau hynny yng Nghrug yr Eryr fwy nag unwaith. Yn sicr, roedd mwy o wrywod nag o fenywod ar y pwyllgor hwnnw, ond dyna sut roedd hi ar y pryd. Dw i'n meddwl 'mod i'n iawn fod Gwyneth Wiliam a Rhiannon Price (Parry wedyn) yn aelodau cynnar ohono. Roedd nifer o ferched ar y bont na fuon nhw'n actifists fel y cyfryw wedi hynny ond a fu ac sy'n weithgar a theyrngar gydol eu hoes.

Naturiol iawn oedd hi i fi ymuno yn yr ymgyrch am wysiau Cymraeg felly, a hynny arweiniodd wrth gwrs at y brotest ar Bont Trefechan ym mis Chwefror 1963 – profiad nad oeddwn wedi fy mharatoi fy hun ar ei gyfer mewn unrhyw ddull na modd. Yn dilyn hynny cefais wŷs am wrthod dangos disg treth heol yn fy nghar ar ddau achlysur.

Fûm i erioed yn rhan o'r protestiadau torfol gan fy mod yn magu teulu, ond pan gafodd fy mab ei eni ym mis Chwefror 1965 gwrthodais ei gofrestru a chynnal gohebiaeth hir gyda'r cofrestrydd lleol a'r cofrestrydd cyffredinol cyn cael fy ngwysio i ymddangos ger bron y llys yn Aberystwyth ym mis Medi. Er syndod i mi, y tyst cyntaf i ymddangos yn y gwrandawiad hwnnw oedd y fydwraig oedd yn bresennol yn yr enedigaeth i dystio fy mod i wedi esgor ar fab – a minnau heb erioed ei gelu!!!

# Rhiannon Parry

'Pont Trefechan' gan ferch Rhiannon, Luned Rhys Parri. Yn y ffotograff yn y cefndir, gwelir traed Rhiannon Parry! (Tynnwyd llun y gwaith celf gan Meic Jones)

Dwi wedi holi fy hun droeon, tybed beth a'm gwnaeth mor frwdfrydig ynghylch yr iaith Gymraeg? Fy nghefndir hwyrach? Fy natur bengaled? Ella 'mod i'n tynnu ar ôl fy nhaid, Richard Evans. Deg oed oedd o pan ddioddefodd y Welsh Not yn Ysgol Llaneugrad, Ynys Môn. Cerddodd allan o'r ysgol y diwrnod hwnnw ac nid aeth byth yn ôl yno. Digwyddodd hynny mor ddiweddar â 1894, mewn plwyf uniaith Gymraeg. Cefais innau fy magu ar dyddyn mewn plwy cyfagos ym Môn, sef Llanddyfnan. Roedd fy rhieni wedi profi caledi dirwasgiad mawr y 1930au, a heb gael cyfle i fynd ymlaen â'u haddysg.

Canlyniad hynny oedd eu gwneud ill dau yn weithwyr caled, a oedd yn parchu'r gymdogaeth dda o'u cwmpas, ac wedi eu trwytho yn niwylliant y gymdogaeth honno.

Trosglwyddwyd peth o'r diwylliant hwnnw i minnau a'm tair chwaer: diwylliant y capel – capel bach Cefniwrch, a safai ar ochr y ffordd rhwng Llangefni a Marianglas, un o'r capeli cyntaf ym Môn i gael ei gau a'i werthu. Er mwyn cyrraedd yno, roedd yn rhaid cerdded trwy dir corsiog Tyddyn Forfudd a Fagwyr Bach. Chwaer eglwys i Gapel Nyth Clyd ym mhentref Talwrn, Llanddyfnan oedd Capel Cefniwrch. Yn y cyfnod hwnnw, roedd digonedd o bregethwyr a gweinidogion ar gael. Fel arfer byddent yn pregethu yn Nyth Clyd y bore ac yng Nghefniwrch y pnawn. Ond ar ôl llond bol o ginio a chael stelc o flaen tanllwyth o dân, byddai ambell 'bregethwr mawr' yn llwyddo i anghofio am Gefniwrch. Ar adegau o'r fath, yr hyn a gâi'r rhes ohonom yng Nghapel Cefniwrch fyddai cyfarfod gweddi, gyda blaenoriaid, ac weithiau ambell un o'r llawr, yn gweddïo am hyd at ugain munud neu ragor bob un. Roedd Cymraeg y gweddïwyr hynny yn batrwm.

Mewn cyfarfodydd yn Neuadd Bentref Talwrn y caem weddill ein hymborth diwylliannol – perfformiadau gan gwmni drama John Hughes, Llannerch-y-medd; triciau'r consuriwr Al Roberts a'i gydymaith, Dorothy, a lifiwyd yn ei hanner ar y llwyfan; neu Watch Night ar ddiwedd blwyddyn pan hebryngid Mr Radcliff dywyll ei wedd allan o'r neuadd, ac y dygid bachgen ifanc pryd golau i'r llwyfan yn ei le, i gynrychioli'r flwyddyn newydd!

I Ysgol British, Llangefni yr es i, hyd nes yr oeddwn yn ddeg oed. Yna, yn 1953 agorwyd yr ysgol gyfun newydd sbon yn Llangefni. Saesneg oedd iaith yr ysgol honno ac eithrio mewn dau bwnc, sef Cymraeg ac Ysgrythur. Roedd Pennaeth yr Adran Gymraeg, sef yr awdur John Pierce, wedi bod yn dysgu fy nhad. Does gen i ddim cof i mi ddysgu fawr ddim ganddo pan oeddwn yn Form I. Albert Kyffin Morris oedd yr athro Ysgrythur – dyn o athrylith mewn sawl maes. Dilynwyd John Pierce gan R. M. Jones – Bobi Jones. Dyna chwa o awyr iach. A'r Gymraeg yn cael statws a pharch o dan ei arweiniad.

Pan oeddwn i yn Form II, cofiaf fod gŵr dieithr wedi dod i mewn i'n dosbarth, i gyflwyno holiadur i ni'r plant. Y gŵr hwnnw oedd Edward Millward (Tedi Millward). Mae'n debyg mai gwneud ymchwil ar gyfer gradd uwch yr oedd ar y pryd. Ni chofiaf yr un o gwestiynau'r holiadur. Ond cofiaf eu bod yn ein harwain i ystyried pwysigrwydd yr iaith Gymraeg, ac fy mod wedi eu hateb gyda sêl anghyffredin. Ar hyd y blynyddoedd bu'n fwriad gennyf sôn wrth Tedi Millward am y deffroad cenedlaetholgar a deimlais wrth ateb yr holiadur hwnnw pan oeddwn tua deuddeg oed. Ond ni ddaeth y cyfle. Nac ychwaith gyfle i ddiolch i Bobi Jones am y modd y'n harweiniodd i drysori'r iaith.

Cymraeg oedd un o'm pynciau Safon Uwch. Neges sawl un o drigolion Talwrn oedd, 'Cymraeg! Eith hwnnw ddim â chdi ddim pellach na Phont y Borth!' Dyna agwedd eraill hefyd. Adlewyrchid hynny yng nghylchgrawn Ysgol Gyfun Llangefni. Cofiaf daclo'r athro a oedd yn gyfrifol amdano pan oeddwn yn y chweched dosbarth, gan holi pam yr oedd cyn lleied o Gymraeg ynddo.

Yn ystod y cyfnod hwnnw y cynhelid y Gweithdai i Fyfyrwyr y Gymraeg yn Ysgolion Môn ac Arfon, yng Nglynllifon. Gwilym R. Jones oedd un o'r tiwtoriaid, un mawr ei ddylanwad. A fu gwell cenedlaetholwr? Un arall dylanwadol oedd John Lasarus Williams, athro yn Ysgol David Hughes, Porthaethwy, a fu'n trefnu bws i gludo myfyrwyr chweched dosbarth o'i ysgol ef ac o Ysgol Gyfun Llangefni, i ganfasio o amgylch Sir Fôn dros Dr Tudur Jones, a oedd yn ymgeisydd y Blaid bryd hynny.

Yn 1959 ac 1960 bûm mewn dwy Ysgol Haf yng Ngholeg Harlech, a dod dan ddylanwad Islwyn Ffowc Elis. Treuliais weddill yr ail haf hwnnw yn gweithio i'r Blaid – yn canfasio ac yn gwerthu copïau o *Wythnos yng Nghymru Fydd*.

Wedyn, yn Hydref 1960 cyrhaeddais Goleg y Brifysgol, Bangor, y coleg Seisnigaidd hwnnw a oedd yn gwarafun i unrhyw un astudio trwy gyfrwng y Gymraeg. Ffromais a brwydrais. Fu hynny o ddim lles i'm gyrfa academaidd. Ond cefais gyfoeth o ddysg yn y Gymdeithas Ddrama dan arweiniad John Gwilym Jones ac yn ddiweddarach gan W. S. Jones (Wil Sam) – y ddau yn byrlymu o ddicter pan ddigwyddai i'r iaith gael ei hamharchu. Ac wrth gwrs, llwyddais i glywed darn o ddarlith Saunders Lewis yn llofft ein tŷ lojin yn Nheras Plas Llwyd, Bangor, lle nad oedd modd cael signal digonol.

Cam naturiol oedd i mi fynd ar y bws o Fangor i gyfarfod a drefnwyd gan Gymdeithas yr Iaith yn Aberystwyth ar Sadwrn, 4 Chwefror 1963. Hanner criw'r bws a fentrodd eistedd ar Bont Trefechan. Roeddwn i yno. Rwy'n falch fy mod wedi bod yno. Y tristwch yw, a minnau bellach dros fy mhedwar ugain, fy mod yn dal i orfod brwydro am statws i'r iaith, ac wedi gorfod gwneud hynny gydol fy oes.

Yn ystod fy nghyfnod fel athrawes mewn ysgolion uwchradd, cefais y fraint o ddysgu myfyrwyr disglair iawn a oedd yn dilyn eu cyrsiau trwy gyfrwng y Gymraeg. Oherwydd salwch bu'n rhaid i mi roi'r gorau i'r gwaith hwnnw yn 1995. Wedi gwella, penderfynais ddilyn cwrs Celf yng Ngholeg Menai, gan sgwennu fy nhraethodau yn Gymraeg. Cefais fy nilorni am hynny, ond roeddwn i bellach dros fy hanner cant, ac yn ddigon gwydn i ddadlau fy achos yn gyhoeddus yn Saesneg.

Ond, fel rydw i wedi dweud droeon, 'Rhad ar fyfyrwyr deunaw oed!'

Dilynais gwrs yng Ngholeg Llandrillo hefyd. Geiriau'r tiwtor pan welodd fy ngwaith oedd, 'For all I know, this could be rubbish.' Meddwn innau, 'I never write rubbish.'

Oes, mae'n rhaid i'r frwydr barhau!

# Mari Gwenllian Evans (Elgar a Gwent gynt)

Mae'n debyg imi ymuno â Chymdeithas yr Iaith pan es i'r brifysgol yn Aber yn 1964. Roeddwn yn arbennig o ymwybodol o hanes Pont Trefechan cyn hynny gan fod un o'm brodyr ac aelodau eraill o'r teulu, yn ogystal â ffrindiau, wedi eistedd ar y bont honno.

Un o'm prif atgofion o'm hamser yn Aber oedd y teithiau wythnosol bron i eistedd ar loriau swyddfeydd post gwahanol, ac yn arbennig un Dolgellau, lle ymosododd rhai o'r crwts lleol ar aelodau o'r Gymdeithas. Dolgellau o bob man! Hefyd wedyn fy rhan i yn gwrthod talu am drwydded teledu a threulio tair noson yng ngharchar Pucklechurch, yn Nhachwedd 1973. Roedd chwe merch y trefnwyd iddynt dalu fy nirwy a'm rhyddhau o'r carchar, sef Margaret Davies, cyn-ynad; Kate Bosse-Griffiths, y llenor a'r academydd; Marion Eames, y nofelydd; Branwen Iorwerth (fy nghyfnither), gweinyddwraig Theatr y Sherman, Caerdydd; Lisabeth Miles, yr actores; ac Enid Jones-Davies, cyn-brifathrawes Ysgol Gymraeg Bryntaf, Caerdydd.

# Ex-JP helps to obtain WLS member's release

MRS. MARGARET DAVIES, the former magistrate who resigned from the Swansea bench at the request of the Lord Chanchellor over the Welsh language issue, is one of six women who have obtained the release from prison of Mrs. Mari Elgar, a member of Cymdeithas yr Iaith (the Welsh Language Society).

Mrs. Elgar, sister of Swansea solicitors Ieuan ap Gwent and Guto ap Gwent, was arrested at her Pencoed, Bridgend, home on Friday evening and taken to Pucklechurch remand centre, Bristol.

On October 4 Bridgend magistrates had sentenced Mrs. Elgar, a social worker, to 30 days' imprisonment suspended for 14 days for non-payment of a £12 fine which was imposed by Cardiff magistrates in January. The fine was imposed after Mrs. Elgar refused to obtain a television licence in the campaign for a Welsh television channel.

Mrs. Davies and the other five women paid the balance of the outstanding fine. Mrs. Elgar was released yesterday.

**'UNNECESSARY'**

The other five who helped pay the fine were Dr. Kate Bosse Griffiths, the Swansea archaelogist and writer; Miss Marian Eames, the novelist; Miss Branwen Iorwerth, administrator of the Sherman Theatre Cardiff; Miss Lisabeth Miles, the actress; and Mrs. Enid Jones Davies, former headmistress of Ysgol Gymraeg Bryntaf, Cardiff.

Mrs. Davies said: "A sentence of 30 days in prison on a young person of this character was completely unnecessary, as there were other options open to the court under the law."

## 'Step in right direction'

THE new West Glamorgan County Council are the first council in Wales to co-opt a National Union of Students' representative on to their education committee.

Now the NUS are to write to all local authorities in Wales asking them to do the same.

Mr. Tony Peacock, NUS Field Officer for Wales, said he was very pleased that the students would be able to express their views on the West Glamorgan Education Committee, and hoped that other authorities would follow their lead in co-opting a student representative.

The students' representative in West Glamorgan will be Mrs. Helga Benson — President of Swansea Students' Association.

"This is a step in the right direction," she said. "If you take into account the number of students there are in Swansea alone, not to mention West Glamorgan, I think we should have some say in what goes on."

Y stori yn y *Daily Post*, 7 Tachwedd 1973

(llun: Daily Post/Reach Licensing)

# Gina Miles

*Roedd gŵr Gina Miles, Gareth Miles, yn gadeirydd Cymdeithas yr Iaith rhwng 1967 ac 1968. Dyma erthygl ganddi a gyhoeddwyd yn* Y Wawr *(cylchgrawn Merched y Wawr) yn 1968.*

## Helyntion Gwraig

Mae'n debyg nad yw bod yn wraig i gadeirydd Cymdeithas yr Iaith Gymraeg yn wahanol iawn i fod yn wraig i un o aelodau pwyllgor y Gymdeithas. Yr unig wahaniaeth yw fod y cadeirydd yn cael mwy o gyhoeddusrwydd, gan mai ef, fel arfer, sy'n rhoi datganiadau i'r Wasg, ac yn ymddangos ar y teledu, efallai. Ond hefyd, y mae'r cyhoedd yn gyffredinol ac aelodau eraill y Gymdeithas, yn tueddu i ddisgwyl mwy gan y cadeirydd. Os nad yw ef yn fodlon torri'r gyfraith ac aberthu rywfaint dros yr iaith, yna ni all ddisgwyl i weddill y Gymdeithas wneud hynny. Fe dybiwn i ei bod yn ofynnol i unrhyw un fod mewn sefyllfa i weithredu'n anghyfreithlon cyn y gall fod yn gadeirydd.

Os yw un o aelodau Cymdeithas yr Iaith yn cael cyhoeddusrwydd mewn unrhyw ffordd, er enghraifft, wrth ymddangos yn y llys, y mae aelodau'r Wasg bob amser yn awyddus i gael safbwynt y wraig, yn enwedig os yw ei gŵr yn aelod blaenllaw o'r Gymdeithas. Hoffant gael stori sy'n cynnwys y wraig ac a fydd yn apelio at y cyhoedd. Digwyddodd hyn i ni pan aethpwyd â'n peiriant golchi ddechrau'r flwyddyn hon. Yr adeg hynny cefais fy llun ar dudalen flaen y *Wrexham Leader* yn golchi clytiau'r babi, gyda'r pennawd: '*Back to the kitchen sink goes wife of language rebel*'. 'Roedd y ffaith fod gennym fabi mis oed, ac felly gymaint o waith golchi dillad, yn ddeunydd da i'r Wasg.

'Rwy'n credu mai'r amser mwya' diflas oedd rhyw dri mis yn ôl, pan oedd yr heddlu yn bygwth mynd ag ychwaneg o'n dodrefn i dalu

# Helyntion Gwraig

gan

GINA MILES

Wrecsam

Mae'n debyg nad yw bod yn wraig i gadeirydd Cymdeithas yr Iaith Gymraeg yn wahanol iawn i fod yn wraig i un o aelodau pwyllgor y Gymdeithas. Yr unig wahaniaeth yw fod y cadeirydd yn cael mwy o gyhoeddusrwydd, gan mai ef, fel arfer, sy'n rhoi datganiadau i'r Wasg, ac yn ymddangos ar y teledu, efallai. Ond hefyd, y mae'r cyhoedd yn gyffredinol ac aelodau eraill y Gymdeithas, yn tueddu i ddisgwyl mwy gan y cadeirydd. Os nad yw ef yn fodlon torri'r gyfraith ac aberthu rywfaint dros yr iaith, yna ni all ddisgwyl i weddill y Gymdeithas wneud hynny. Fe dybiwn i ei bod yn ofynnol i unrhyw un fod mewn sefyllfa i weithredu'n anghyfreithlon cyn y gall fod yn gadeirydd.

Os yw un o aelodau Cymdeithas yr Iaith yn cael cyhoeddusrwydd mewn unrhyw ffordd, er enghraifft, wrth ymddangos yn y llys, y mae aelodau'r Wasg bob amser yn awyddus i gael safbwynt y wraig, yn enwedig os yw ei gŵr yn aelod blaenllaw o'r Gymdeithas. Hoffant gael stori sy'n cynnwys y wraig ac a fydd yn apelio at y cyhoedd. Digwyddodd hyn i ni pan aethpwyd â'n peiriant golchi ddechrau'r flwyddyn hon. Yr adeg hynny cefais i fy llun ar dudalen flaen y *Wrexham Leader* yn golchi clytiau'r babi, gyda'r pennawd: '*Back to the kitchen sink goes wife of language rebel*'. 'Roedd y ffaith fod gennym fabi mis oed, ac felly gymaint o waith golchi dillad, yn ddeunydd da i'r Wasg.

'Rwy'n credu mai'r amser mwya' diflas oedd rhyw dri mis yn ôl, pan oedd yr heddlu yn bygwth mynd ag ychwaneg o'n dodrefn i dalu dirwy. 'Roeddynt yn rhoi amser penodedig inni, i'w disgwyl yma, ac ar yr amser hynny byddai aelodau o'r Wasg yma yn disgwyl. Ond wedi'r cyfan ni fyddai'r heddlu'n ymddangos y diwrnod hwnnw, am eu bod yn gwybod, mae'n debyg, fod rhywun o'r Wasg yma yn barod. Yn lle hynny, 'roedd yn well ganddynt hwy roi cnoc ar y drws tua hanner awr wedi saith yn y bore, cyn inni godi, ac felly, wrth gwrs, ni fyddai amser i gyhuddio'r Wasg. Ond setlwyd y broblem o gael y ddirwy drwy i'r llys benderfynu rhyw 'chydig fisoedd yn ôl y byddent yn cymryd yr arian bob mis, o gyflog Gareth.

Credaf amryw o bobl mai'r wraig sy'n poeni ac yn dioddef fwyaf pan fo'i gŵr yn gweithredu'n anghyfreithlon. Ond os yw hi yn ei gefnogi, nid yw hynny'n wir o gwbwl. Mae mwy o straen o lawer ar y gŵr sy'n gorfod wynebu llys barn, nag ar y wraig gartref, er bod rhywun yn methu byw yr adeg hynny i wybod beth fydd dyfarniad y llys.

Ond pan fo canlyniadau boddhaus i'r gweithgareddau yma, yna buan yr anghofir unrhyw ddiflastod a fu yn y cyfamser.

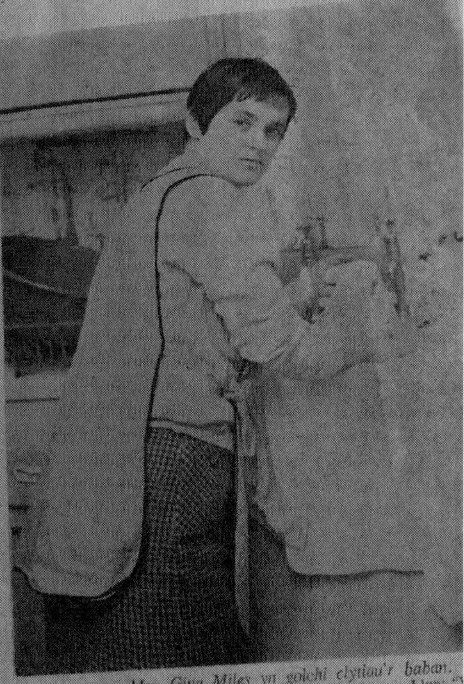

*Mrs. Gina Miles yn golchi clytiau'r baban.*

Llun: ...

3

Yr erthygl gan Gina Miles yn *Y Wawr*, 1968

dirwy. ’Roeddynt yn rhoi amser penodedig inni, i’w disgwyl yma, ac ar yr amser hynny byddai aelodau o’r Wasg yma yn disgwyl. Ond wedi’r cyfan ni fyddai’r heddlu’n ymddangos y diwrnod hwnnw, am eu bod yn gwybod, mae’n debyg, fod rhywun o’r Wasg yma yn barod. Yn lle hynny, ’roedd yn well ganddynt hwy roi cnoc ar y drws tua hanner awr wedi saith yn y bore, cyn inni godi, ac felly, wrth gwrs, ni fyddai amser i rybuddio’r Wasg. Ond setlwyd y broblem o gael y ddirwy drwy i’r llys benderfynu ryw ’chydig fisoedd yn ôl y byddent yn cymryd yr arian bob mis, o gyflog Gareth.

Cred amryw o bobl mai’r wraig sy’n poeni ac yn dioddef fwyaf pan fo’i gŵr yn gweithredu’n anghyfreithlon. Ond os yw hi yn ei gefnogi, nid yw hynny’n wir o gwbwl. Mae mwy o straen o lawer ar y gŵr, sy’n gorfod wynebu llys barn, nag ar y wraig gartref, er bod rhywun yn methu byw yr adeg hynny i wybod beth fydd dyfarniad y llys.

Ond pan fo canlyniadau boddhaus i’r gweithgareddau yma, yna buan yr anghofir unrhyw ddiflastod a fu yn y cyfamser.

# Sioned Huws

Magwyd fi ar un o ffermydd bychain Cyngor Ynys Môn, rhieni Cymraeg, yn arfer mynd i'r capel yn rheolaidd, gwaith amrywiol – HTV, Antur Aelhaearn, y Swyddfa Bost, Theatr Bara Caws, Ffilmiau Bryngwyn, Tiwtor Cymraeg i Oedolion, Dawns i Bawb, Gisda, Cwmni Cofis Bach, Zipworld. Sgen i ddim cof o gael swydd efo'r Gymdeithas.

**Pam ymuno â Chymdeithas yr Iaith?**

Mi ddeallais a chael fy nychryn gan y ffaith fod yr iaith Gymraeg mewn argyfwng, ac yn debygol o farw os na fyddem yn deffro a gweithredu mewn ffyrdd radical ar fyrder fel cenedl. Roedd caneuon Dafydd Iwan ar raglenni newyddion Y Dydd ac ati yn codi ymwybyddiaeth, yn dangos fod modd gwneud rhywbeth. Roedd o'n fudiad ifanc, cyffrous oedd yn herio'r drefn ac yn dysgu rhywfaint o hanes Cymru inni na chaem yn yr ysgol. Roedd Cymru'n ferw ar ôl Tryweryn, a wedyn mi ddoth yr Arwisgo a chymaint mwy yn cael ei ddweud drwy gyfrwng jôcs a thynnu coes mewn cân a chomedi. Sylweddoli bod rhaid wrth fudiad fel Cymdeithas yr Iaith oedd yn torri'r gyfraith a derbyn y canlyniadau. Roedd hi'n unfed awr ar ddeg, yn argyfwng, ond doedd Plaid Cymru ddim yn gwneud yr iaith yn flaenoriaeth yn ei hymgyrchoedd. Ymuno efo Cymdeithas yr Iaith, felly, oedd yr unig ddewis a'r peth mwyaf naturiol i'w wneud.

**Tynnu arwyddion Saesneg i lawr**

Ro'n i'n gallu gyrru car yn eithaf ifanc, tra o'n i'n dal i fod yn yr ysgol, ac yn arfer mynd allan liw nos efo cyfeillion. Prynwyd bolt cutters ar gyfer y gwaith. Roedd 'na arwydd NEWBOROUGH yn sgrechian arnom ar groesffordd yn Llanfairpwll, pan oedd traffig yr A5 yn dal i fynd drwy'r pentre. Aeth Dylan Wyn a finnau yno ganol nos i'w dynnu i lawr. Cofio sŵn anarferol o uchel y torrwr bolltiau ynghanol y distawrwydd a wedyn sylweddoli pa mor fawr oedd yr arwydd go iawn a pha mor fach oedd Bili Jo – y VW Beetle. Cael a chael oedd ei gael i mewn i'r car cyn gwneud dihangfa gyflym ar hyd lonydd cefn cyfarwydd i'w ddadlwytho mewn cornel ddisylw gartref.

Ro'n i'n teimlo mai gweithredu dros yr iaith oedd blaenoriaeth Cymdeithas yr Iaith a bod parch i bawb oedd o'r un gred. Gan 'mod i'n teimlo'n angerddol dros y Gymraeg, 'mod i'n gyrru car yn 17 oed ac felly'n ddefnyddiol i ymgyrchoedd, digon posib 'mod i'n ddall i unrhyw wahaniaethu y dyddiau hynny. Wrth gwrs, fel ymhob mudiad, rhaid cyfaddef mai gwrywaidd oedd yr arweinyddion, y rhai roedd eu lleisiau i'w clywed o lwyfannau ac mewn protestiadau fel rheol, er bod cymaint o ferched wedi mynd i garchar yr adeg honno,

Yr addysgwraig Gwyneth Morgan yn annerch wrth gastell Caernarfon, Protest Arwisgo, Gŵyl Ddewi, 1969. Yn 1963, sefydlodd Gwyneth a Trefor Morgan, cenedlaetholwyr ac ymgyrchwyr iaith pybyr, Gronfa Glyndŵr yr Ysgolion Cymraeg i hyrwyddo addysg Gymraeg, ac yn 1968 aethon nhw ymlaen i sefydlu Ysgol Glyndŵr yn agos i Benybont ar Ogwr, sef ysgol Gymraeg breswyl a ddarparodd addysg gynradd ac uwchradd.

ac nad oedden nhw'n cael bywyd rhwydd oherwydd hynny. Un ohonynt oedd Nan Jones, a gafodd ei phenodi fel athrawes dros dro yn yr ysgol uwchradd yn Llangefni ar y pryd. Er iddi hi geisio am ei swydd ei hun, chafodd hi mohoni, ac roedd llawer ohonon ni ddisgyblion yn teimlo'r annhegwch ac mi drefnwyd streic i brotestio am hyn.

**Meddiannu tai haf**

Noson mewn tŷ ym Mharadwys, Ynys Môn. Rhyw ddwsin neu fwy ohonon ni o bosib, yn y tywyllwch, yn eistedd ar lawr yng ngolau cannwyll neu dorts ac Alwyn D yn deud straeon, nid am ysbrydion, ond un yn arbennig oedd yn fwy dychrynllyd o lawer wedi ei lleoli mewn coedwig dywyll yn yr Almaen. Benyw wedi ei gadael ar ben ei hun yn eistedd mewn car unig tra oedd ei phartner wedi mynd i chwilio am betrol. Gyda'i lais dwfn a'i ddawn dweud stori, crëwyd awyrgylch iasol arswydus, dim smic a phawb ar bigau'r drain mewn ofn wrth aros i glywed y diweddglo perffaith. Aaaaa! Myfyriwr ym Mala Bangor oedd Alwyn, felly roedden ni'n griw da iddo arbrofi efo'i ddawn deud fel pregethwr. Mi gawson ni lot o hwyl y noson honno ac er bod plismyn wedi dod yno yn y diwedd, chofia i ddim byd am gael ein rhoi o flaen ein gwell.

# Helen Greenwood

Bûm yn aelod o Gymdeithas yr Iaith am y rhan fwyaf o fy mywyd, ac am gyfnod yn fy ugeiniau a'm tridegau cynnar hoffwn feddwl i mi fod yn aelod gweithgar wnaeth hefyd dreulio cyfnod o 10 mlynedd fel swyddog cyflogedig i'r mudiad.

Fe wnes i ymaelodi fel disgybl 15–16 mlwydd oed ar ôl gweld stori newyddion am Dafydd Iwan yn cael ei ryddhau o garchar, ac yn esbonio wrth y newyddiadurwr iddo golli genedigaeth ei fab tra oedd o dan glo. Roeddwn i eisiau gwybod mwy am barodrwydd rhywun i hepgor ei ryddid dros ei egwyddorion.

Mae'r 15 mlynedd hynny erbyn hyn yn gymysgedd ddryslyd o atgofion hapus a chyffrous y byddaf yn eu trysori am byth.

Cyn dysgu gyrru roeddwn i ac eraill yn llwyr ddibynnol ar eraill am lifft i brotestiadau torfol, cyfarfodydd cell, rhanbarth a Senedd, gwylnosau, ymprydiau ac ati ac ati. Ond dyna oedd rhan o'r hwyl. Ac ar ôl cychwyn yn y coleg wedyn, cael fy hun yn gyfrifol am drefnu cyfarfodydd cell, a llogi bysus i fynd i bob math o ralïau a gigs torfol yn enw'r Gymdeithas. Ac yna pasio prawf, prynu car a gallu cynnig lifft i eraill am newid.

Roedd bod yn aelod o'r Gymdeithas yn golygu cwrdd â chymaint o bobl o bob cwr o Gymru – roedd croeso i bawb, dim ots am eich oedran na'ch rhyw. Pawb yn parchu ei gilydd, yn rhannu ac yn dysgu o'u profiad a'u harbenigedd. Pawb yn dod yn ffrindiau agos trwy rengoedd y Gymdeithas, rhai yn cwrdd â chymar oes mewn protest neu o gwmpas bwrdd mewn cyfarfod Senedd. Roeddem yn dibynnu ar ein gilydd, yn cefnogi'n gilydd ac ar yr un pryd yn cael llawer iawn o hwyl.

A beth am yr atgofion yna? Cofio cyffro Rali Arwyddion Llanelltud ger Dolgellau; meddiannu pentref cyfan o dai haf yn Rhyd ger Maentwrog; torri i mewn i gyfnewidfa ffôn yng Nghaerdydd fel rhan o ymgyrch y Sianel; trafaelio lawr i Abertawe dros nos i groesawu Rhodri a Wynfford allan o'r carchar; teithiau di-ri i Lundain i dorri ar draws yr Uchel Lys neu brotestio tu allan i'r Swyddfa Gymreig yn Whitehall, a gorymdeithio heibio adeilad Senedd Lloegr a phobl yn edrych yn syn arnom. Beth am y daith gerdded trwy Gymru am bythefnos ar ddiwedd Eisteddfod Genedlaethol Llangefni – cysgu ar loriau mewn neuaddau pentref, dosbarthu taflenni a threfnu rifiws gyda'r nos? Gyrru i berfeddion Lloegr i ddiffodd mast teledu; ymprydio yng Ngholeg Bala Bangor dros y Nadolig un flwyddyn; rali anferth yng Nghaerdydd i gefnogi Gwynfor wrth iddo fygwth ymprydio dros y Sianel; canu caneuon protest ac emynau nerth ein pennau dan glo mewn swyddfa heddlu yn rhywle; cuddio mewn clawdd gyda'r cyfrifoldeb o alw "car yn dod" tra oedd eraill yn peintio neu'n tynnu arwyddion uniaith Saesneg anferth; eistedd mewn swyddfa dywyll, damp danddaearol yng nghanol nos yn aros am alwad ffôn neu deipio datganiad i'r wasg; troi a throi handl y

Helen Greenwood yn swyddfa'r Gymdeithas yn y 1980au
(llun: Arvid Parry-Jones)

peiriant serocs oedd yn printio cannoedd o daflenni du a gwyn neu gofnodion Senedd a thasgu inc du i bobman yn ein swyddfa newydd uwchben y môr. Mae'r rhestr yn ddiddiwedd a phob un yn tynnu gwên wrth gofio am yr hwyl a'r profiad o fod yn rhan o'r chwyldro – dyna sut oedd o'n teimlo ar y pryd!

Roedd derbyn cyfrifoldeb dros y gweithredu, cael eich arestio, eich holi gan yr heddlu, mynd o flaen llys ac weithiau gael eich carcharu yn rhan naturiol o'r ymgyrchu. Doeddech chi byth ar ben eich hunain yn y sefyllfaoedd yma, ac roedd teithio i gefnogi rhywun mewn achos llys neu groesawu aelod allan o'r carchar yr un mor bwysig â mynychu rali neu brotest.

Felly diolch, Cymdeithas yr Iaith, am fy ngwneud i'n Gymraes falch; am fy nghyflwyno i'r dull di-drais a'r brotest dorfol; am y cyfle i gwrdd â chymaint o bobl anhygoel a gwneud ffrindiau o Fôn i Fynwy; am fod yn fudiad I BAWB oedd, ac sydd yn poeni am ddyfodol ein hiaith a'n gwlad heb unrhyw fath o ragfarn. Diolch, ffrindiau, am gerdded y daith gyda fi a cheisio creu Cymru well gyda'n gilydd.

Ac yn olaf, ymddiheuriadau! Ydw, dwi'n dal yn aelod ond dwi ddim yn aelod gweithgar iawn yn anffodus. Dwi'n gwylio o bell ac yn edmygu'r to ifanc am eu brwdfrydedd a'u hegni, ac yn fy ffordd fach fy hunan yn ceisio cyfrannu at sicrhau'r miliwn o siaradwyr Cymraeg mewn Cylch Meithrin bendigedig yn y de-ddwyrain.

I'r Gad!

# Carey Thomas

Fy mlas cyntaf o ddechrau torri rheolau oedd yn '71, yn 14 oed, pan adawais i'r ysgol amser cinio i weld a oedd canlyniad i achos 'Yr Wyth' yn Abertawe, achos o dynnu arwyddion.

Rwy'n cofio gweld fy mhrotest gyntaf y tu fas i'r Guildhall yn Abertawe yn achos 'Yr Wyth', a gweld pobl o bob oedran – gweinidogion, athrawon, plant ysgol – i gyd yn eistedd ar yr hewl ac yn canu a gweiddi sloganau. Roeddwn i eisiau bod yn un ohonynt ond ddim yn medru'r Gymraeg, a hefyd roedd fy mrawd Wayne yn weithgar o fewn y Gymdeithas, felly cario 'mlaen â fy mywyd wnes i.

Pan es i i'r Drindod yn 1975 roeddwn i'n benderfynol o beidio ymuno â'r Gymdeithas achos roedd fy mrawd yn aelod, a doeddwn i ddim eisiau ei ddilyn. Roedd popeth yn iawn gyda fy myd, a minnau'n astudio Astudiaethau Cymreig (dim gormod o Gymraeg, jyst twtsh bach a Hanes). Wedyn cwrddais â Helen Greenwood a Glynis Williams ac fe newidiodd popeth! Ymunais â'r Gymdeithas, newid fy mhwnc i Gymraeg ail-iaith, cymysgu gyda'r Cymry Cymraeg a dysgu siarad Cymraeg.

Rwy'n cofio ymgyrchoedd tai haf, arwyddion dwyieithog a'r ymgyrch ddarlledu; peintio sloganau ar reilffordd yr Intercity 125 yng Nghaerfyrddin gyda fy mrawd. Bues i ar y Senedd am gyfnod yn arwain y grŵp Marchnata ac roedd yr aelodau eraill, boed yn ddynion neu'n fenywod, yn gyfartal. Teimlwn fod gan bawb yr un hawliau i siarad, mynegi barn a gweithredu.

Pan oeddwn yn y Drindod fe ges i anrheg gan Wayne, sef pâr o bolt cutters i dynnu arwyddion, ac roeddwn i'n hoff iawn ohonyn nhw. 'Samson' oedd eu henw. Un noson benthycais i nhw i rai oedd yn mynd mas i dynnu arwyddion. Yn ystod y nos ces i fy neffro gan y myfyrwyr i ddweud eu bod nhw wedi cael eu dal ac roedd 'Samson' wedi cael eu cymryd gan yr heddlu! Doeddwn i ddim yn hapus iawn ac rwy'n dal i'w cofio nhw a'r rhai oedd wedi gadael iddyn nhw fynd.

Ymgyrch Tai Haf, fi a fy ffrind Siân Wyn Ifans o'r Drindod yn peintio sloganau ar waliau – 'Tai Haf i Bobl Leol' – yn Aberaeron. Mynd yn syth bìn i swyddfa'r heddlu a chyfaddef. Bant â ni ar frys mewn ceir heddlu i swyddfa'r heddlu yn Aberystwyth a gweld Ted Nicholas, aelod enwog o'r heddlu cudd yng Nghaerfyrddin ar y pryd. Cafodd Siân a minnau ein gwahanu. Clywais i rywun yn sgrechian mewn un o'r celloedd a Ted yn dweud mai Siân oedd yno; roeddwn i'n gwybod ei fod yn smalio. Es i i'r llys a chafodd Wayne fi bant o'r cyhuddiad! Wir i chi, roedd shwt ofn arnaf roedd fy mhengliniau yn cnocio yn erbyn ei gilydd.

Dro arall, dyma fi a Siân Ifans yn mynd i'r Uchel Lys yn Llundain – bws yn ein codi ni o Gaerfyrddin i fynd â ni yno. Siân a fi yn torri ar draws yr Uchel Lys gan weiddi rhywbeth –'Sianel Gymraeg!' siŵr o fod, ond dw i ddim yn cofio'n iawn. Ni'n dwy yn cael ein harwain i ffwrdd o 'na. Doedd neb wedi dweud wrthyn ni y gallen ni fod wedi cael carchar yn syth am ddirmyg llys!

Roedd sôn os oeddech yn gweithredu gyda Wayne eich bod yn siŵr o gael eich dal, a dyna beth ddigwyddodd un noson yng Nghaerfyrddin wrth beintio sloganau ar Yr Intercity 125. Roedden ni eisiau i bob cyhoeddiad yn yr orsaf drenau, pob pamffled, pob gohebiaeth fod yn ddwyieithog. Roedd criw ohonon ni wedi mynd a dw i ddim yn siŵr oedden ni wedi llwyddo i beintio'r trên ai peidio, ond cawson ni ein dal a bant â ni i swyddfa'r heddlu. (Roedd y sôn am weithredu gyda Wayne yn wir!)

Ddaeth dim byd ohoni, a rai blynyddoedd wedyn roedd Ted Nicholas wedi dweud wrth Wayne bod y gwaith papur i gyd gyda fe i'n cyhuddo ni ond aeth e ar goll!

Rwy'n cofio rhai o ddarlithwyr Coleg y Drindod yn ein cefnogi ni ac yn rhoi liffts i ni i'r llys – Maldwyn Jones a Dafydd Rowlands i enwi dim ond dau. Ac rwy'n cofio protestio tu fas i'r llys yng Nghaerfyrddin, eistedd ar yr hewl a chael fy nhynnu o 'na wrth fy ngwallt a'r heddlu yn chwerthin. Dylwn i fod wedi torri fy ngwallt!

Yr amser mwyaf poenus i fi oedd pan gafodd Wayne ei gyhuddo o gynllwyn yn yr ymgyrch ddarlledu yn '81. Roedd ei ferch yn dri mis oed. Roeddwn i'n athrawes ar y pryd, a dyma'r prifathro yn dweud wrthyf mai ei frawd, Vernon Pugh, oedd erlynydd y Goron yn erbyn Wayne a'i fod heb golli achos.

# Lisabeth Miles

Dwi ddim yn cofio pa flwyddyn yn y saithdegau cynnar y penderfynodd Anti Annie a fi ymuno â phrotest yn Abertawe. Ym Mhontrhyd-y-fen oedd fy modryb yn byw a finna wedi dod o Gaerdydd i ymweld â hi. Bu Miss Annie Miles yn brifathrawes ar ysgol Gymraeg gyntaf Pont-rhyd-y-fen ac roedd yn daer dros hyrwyddo ein hiaith genedlaethol drwy ei bywyd. Roedd yn ddynes drwsiadus ac wastad yn gwisgo het oedd wedi ei dewis yn ofalus i gyd-fynd â'i chôt neu ei siwt.

Dwi ddim yn cofio chwaith pam yn benodol y penderfynodd y Gymdeithas drefnu'r brotest. Fe ddaethon ni o hyd i'r dorf oedd yn protestio. Fe safodd fy modryb ar y pafin, ac fe ymunais i â'r criw oedd yn eistedd ar draws y ffordd yn anwybyddu gorchmynion yr heddlu i symud oddi yno. Cefais gwmni y Dr John Davies, sef John Bwlchllan, drwy'r pnawn tra oedden ni'n cael ein halian o ganol y ffordd i'r pafin dro ar ôl tro. Roedd Anti Annie wedi cynhyrfu'n arw ac yn ceisio darbwyllo'r heddlu i atal eu 'hymosodiad' ar y protestwyr, ac arna i'n arbennig. Roedd John yn gafael yn dynn mewn ces bach ac ar waetha cael ei lusgo yn eitha hegar am gwpwl o oriau, fe lwyddodd i amddiffyn ei ges bach. Ymhen hir a hwyr fe ddaeth y brotest i ben a John a fi'n eistedd a'n cefnau yn erbyn wal. Fe agorodd John ei ges gyda rhyddhad mawr a chefais weld y trysor ynddo, sef pecyn o frechdanau!

# Gwen Williams

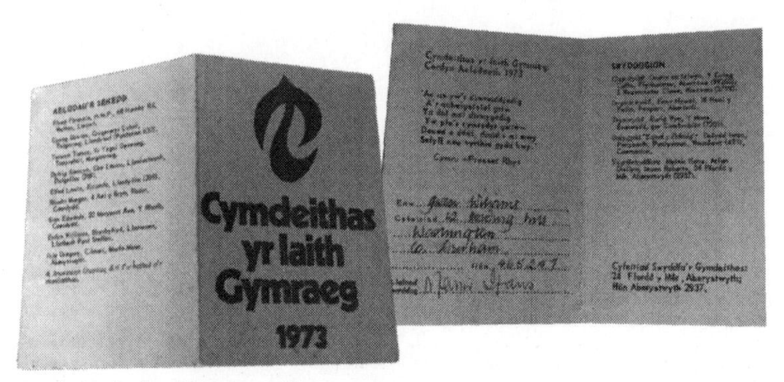


Cerdyn aelodaeth Gwen Williams, 1973

Nid wyf i yn ddynes beryglus. Dim fi. Dw i erioed wedi bod yn weithredwraig ychwaith. Erioed wedi bod yn y carchar na hyd yn oed wedi cael fy nal gan y polîs.

1973. Roeddwn yn byw yng ngogledd Lloegr a does gen i ddim syniad beth a wnaeth imi ymuno â'r Gymdeithas am y tro cyntaf. Hiraeth efallai? Ia, mae'n sicr mai hiraeth oedd o. Ond hiraeth am Gymru oedd ddim yn bod. Cymru fy mhlentyndod yn ystod gwyliau'r ysgol. Cymru fy nain.

Ac nid oes gennyf gof am unrhyw brotest nac ymgyrch, heblaw am y rhai a ddaeth i fod yn ystod fy ngwaith fel Arolygwr y Llywodraeth.

Mewn cyfarfod yn adeilad Cynulliad Cymru yn 2002 – chwech o'r Arolygwyr yn siarad Cymraeg. Un o'r Arolygwyr ddim yn siarad Cymraeg. Yr hen 'gastan' yna eto! Os oes yna un person Saesneg yn yr ystafell mae'n ymddangos yn anfoesgar i siarad ein hiaith ein hunain yn ein gwlad ein hunain. Oherwydd rydym i gyd yn siarad Saesneg, yn tydyn? Dim hedffons wrth gwrs. Dim digon o bres ar gyfer y fath beth.

Cyfarfod tîm bach mewn offis leol yng Nghaernarfon. A waeth pa mor galed roedd Steph yn trio, ni fedrai hi fod yn rhugl yn y Gymraeg mewn wythnos. Cymerais y gadair y tro hwn. Dywedais, 'Ydach chi'n siarad dwy iaith? Defnyddiwch nhw!' Dywedodd pawb bopeth ddwywaith. Pawb yn deall. Pawb yn hapus.

Pethau bach beunyddiol a wnes yn ystod fy wyth mlynedd yn y Cynulliad. Amhoblogaidd ymhlith y ddwy ochr weithiau!

Dw i wedi cyfieithu ar gyfer Childline. Wedi siarad ar Radio Cymru. Bues yn chaperone ar raglen i bobl ifainc ar S4C. Prynu a darllen llyfrau Cymraeg. Pererindod i'r Wladfa yn 2015 i ymweld â'r gymuned yno ac i ddathlu cylchwyl y 150 mlwyddiant efo nhw acw.

Dim llawer efallai, a dim mor beryglus â mynd i'r carchar, ond roedd gennyf blant ac roeddwn yn fam sengl. A dim yn rhy ddrwg a chysidro fy mod i wedi tyfu fyny yn Salford yn y geto Cymraeg yn y pumdegau fel alltud o Gymru. Saesneg yn ystod yr wythnos. Cymraeg ar y penwythnos.

Gofynnir imi weithiau gan bobl Gymraeg eu hiaith os ydw i'n ddysgwr. Dwi'n ateb, 'Na, dychwelwr' (Not a learner, a returner). Mae fy acen braidd yn wahanol. Acen geto Cymraeg Salford. Yn 2000 dychwelais i Dalsarn yn Nyffryn Nantlle i weithio yn fy ngwlad. Yn 1997 pleidleisiais 'Ia' yn y refferendwm.

Yn ôl at y saithdegau rŵan. Yn 1971, yn syth o Brifysgol Newcastle ac, i blesio fy nhad, derbyniais fy swydd gynta fel gweithiwr cymdeithasol ym Mhwllheli. Cefais y job, dwi'n credu, am fy mod i'n gallu siarad Cymraeg ac nid oherwydd unrhyw fedrusrwydd rhyngbersonol. Swoleg wnes i ei astudio yn y brifysgol.

Dechreuais ar flwyddyn fwya difrifol ac anhapus fy mywyd! Doedd 'na ddim cymorth yn yr offis, teimlwn fel allanwr. Roedd 'na dŷ tu allan i Efailnewydd o'r enw Y Lodge lle roedd yr actifists yn byw a lle doedd yna ddim cloeon ar y drysau. Arwyr oedd y rhain ymysg y gymuned Gymraeg. Ddaru nhw fy osgoi am fy mod yn Saesneg.

Ond ystyriwn fy hun yr un mor Gymraeg â nhw. Roedd fy nain

(Talysarn) yn ffrind i Lewis Valentine, oedd yn westai'n aml wrth fwrdd cinio Sul Nain. Teimlwn ei fod wedi radicaleiddio Nain. Roedd hi'n wladgarwraig ffyrnig ac yn argymell annibyniaeth i Gymru. Siaradodd hi ddim gair o Saesneg erioed.

Felly dw i'n cofio amser hollol Gymraeg yn y gorllewin a siarad Cymraeg efo Nain, yn y capel ar y weekend – teimlo'n hanner Cymraes, hanner Prydeinwraig.

Fedra i ddim gweithio allan be nath wneud i fi ymuno â'r Gymdeithas yn 1973 yn Lloegr ar ôl blwyddyn fwyaf unig a diflas fy mwyd. Rhaid ei fod o'n rhyw hiraeth gwreiddiol ac etifeddiaeth ddofn a diwylliannol.

Dyma fi rŵan yn 70 oed ac yn dal i argymell yr achos peryglus. I'r gad, ferched Cymru!

# Lona a Beryl Cullum

*Dyma atgofion Beryl Cullum o brofiadau ei chwaer, Lona, a hithau yn ystod y 1960au a 1970au.*

**Pam Ymuno?**

Roedd yn beth naturiol i'w wneud. Cawsom ein magu ar aelwyd oedd yn rhoi pwyslais ar 'y Pethe', ac wedi colli ein tad yn ifanc. Roedd Mam yn cefnogi pob achos gwladgarol. Yn blentyn, cofiaf fynd efo hi i brotestio i Gapel Celyn. Tra oeddwn yn yr ysgol uwchradd yn Y Bala, cofiaf fynd at y cwrt yn ystod amser cinio i weld Emyr Llew a Now Williams. Cefais fy nghosbi am fynd i lawr i'r dref heb ganiatâd a gorfod ysgrifennu rhagair i lyfr Wordsworth a'i gyflwyno i'r brifathrawes y bore canlynol! Dyma'r unig fudiad oedd yn gwarchod yr iaith a'n hunaniaeth.

**Atgofion**

Yn ystod y 60au i'r 70au, buom yn mynychu y rhan fwyaf o brotestiadau'r Gymdeithas ar hyd a lled Cymru – Lona'n cofio protest Aberteifi a pheintio arwyddion yn Synod Inn. Mae gennyf lun ohonof mewn protest yng Nghaerdydd ym 1969 pan garcharwyd Dafydd Iwan - roeddwn mewn côt facsi frethyn!

Mae gennym atgofion o daith gerdded drwy Gymru i ymgyrchu am sianel deledu.

Ar ôl cerdded am ddiwrnod, cawsom lety dros nos yn Llanonn efo Megan a Gwilym Tudur, a Lona'n cofio'r salad mewn dysglau lliwgar gawsom i swper! Roeddem yn cofio noson arall ar ôl taith hir yn 'Y Feathers' ger Caerfyrddin.

## Yr ymgyrch tynnu arwyddion

Lona sy'n cofio'r stori hon ... Roedd pedwar ohonynt wedi mynd o'r Drenewydd i'r Aelwyd yn Y Trallwng. Ar y ffordd adref, dywedodd y ddau fachgen wrthynt am stopio'r car yn Aber-miwl er mwyn tynnu arwydd 'Newtown'. Roedd y ddwy ferch yn y car i fod i yrru 'mlaen gan ddychwelyd mewn hanner awr i nôl y ddau. Pan ddaethant yn eu holau, roedd car heddlu wedi stopio a chawsant eu holi - ble roeddent wedi bod, ac i ble roeddent yn mynd? Gallent ddweud yn ddiniwed eu bod ar y ffordd adref o'r Aelwyd. Doedd dim golwg o'r hogiau, ac aeth y ddwy ymlaen am adref ac i'w gwelâu. Cafodd Lona ei deffro am 5 y bore gan un o'r hogiau. Roeddent wedi cerdded adref ar hyd y ffordd gefn drwy Lanllwchaearn i'r Drenewydd.

Cefais innau, Beryl, anturiaethau. Roeddwn yn y coleg yng Nghaerdydd ond heb gar. Byddwn yn cael lifft adref i'r Bala yn aml gan fachgen o Lanuwchllyn, Gareth Jones, neu Gari Goat. Byddai'n rhaid stopio ar y ffordd i dynnu arwydd!

## Yr ymgyrch deledu

Daeth cwpl o Flaenau Ffestiniog i'n tŷ ni yn y Bala un noson i roi manylion yr ymgyrch inni, bosib mai Goronwy Fellows a'i gariad oeddent. Roedd Lona wedi mynd i'r gwely a Mam a minnau yn gwrando ar y cyfarwyddiadau. Roedd y ferch wedi cuddio'r cyfarwyddiadau yn ei throwsus rhag iddynt gael eu stopio gan yr heddlu.

I Fanceinion roedd Lona i fynd, efo Gari Goat ac un arall. Mae'n cofio sefyll ar y stryd ger Stiwdio Granada yn cadw golwg a oedd ceir heddlu o gwmpas. Roeddent wedyn yn ffonio Ffred Ffransis i ddweud ei bod yn glir i bobl fynd i mewn. Roedd Gari i ffonio'r papurau wedyn yn y bore.

I Fryste roeddwn i fod i fynd, efo Dyfir Gwent, a'i brawd Meilir, Eleri Owen a Gwyn Boyer. Yn anffodus, roedd yr heddlu yn disgwyl amdanom a dyma dreulio noson yn y celloedd yn cael ein holi. Roedd Lona wedi cyrraedd adref yn oriau mân y bore. Daeth Ifor Owen, tad Dyfir a Meilir, i ddweud wrth Mam beth oedd wedi digwydd i mi.

**Hanesyn**

Yn y 70au, treuliodd Lona gyfnod ar Senedd Cymdeithas yr Iaith. Mae'n cofio un achos a gododd. Roedd cwpl yn byw ar fferm yn Sir Aberteifi rywle, ac roedd un ohonynt wedi llosgi'n ddrwg, ac roedd nyrs yn galw'n ddyddiol i drin y briw. I gyrraedd y fferm, roedd rhaid mynd drwy fuarth fferm arall ble roedd Saeson yn byw. Bob tro y byddai'r nyrs yn dod, byddent yn rhoi tomen dail yng nghanol y ffordd i'w rhwystro a'i gorfodi i adael y car a cherdded dros filltir i weld y claf. Roedd Lona wedi cynhyrfu o glywed yr hanes hwn, ac roedd ar ei meddwl wrth yrru adref, a chafodd ddamwain!

***Wedi'r Achos***

(Blaen-plwyf, 1978)

**Menna Elfyn**

Tra oeddit ti'n gaeth,
fferrodd glannau'r Teifi
mewn anufudd-dod sifil;
a bu farw eogiaid
o dorcalon!

Tra oeddit ti'n gaeth,
ymfudodd holl adar y cread
o ddifyg croeso;
a chafodd cathod strae'r plwy
bwl o argyfrwng gwacter ystyr!

A thra oeddit ti'n gaeth,
picedodd yr eira'r ffordd
rhag i'r haul gipio'r hawl
ar arian gleision y pridd;
ac aeth y glaw i bwdu
am na chafodd dy sylw!

Tra oeddit ti'n gaeth,
sgaldanwyd deucant o waeau
i biser o gân;
gorweithiodd y postmyn
yng nghylch Abertawe;
aeth Basildon Bond yn brin
yn y siopau!

A thra oeddit ti yn gaeth,
Aeth deuddeg o reithwyr
i'w cartrefi'n rhydd

Cerdd gan Menna Elfyn i'w gŵr, Wynfford James. Fe'i hysgrifenwyd yn union wedi i Wynfford gael chwe mis o garchar yn Tachwedd 1978 am gynllwyno i achosi difrod i drosglwyddydd teledu Blaenplwyf fel rhan o'r ymgyrch dros sianel deledu Gymraeg. Roedd Fflur, merch Menna ac Wynfford, yn ddeufis oed.

# Enfys Llwyd

Cefais fy ngeni a'm magu yng nghefn gwlad Ceredigion ger pentref bach o'r enw Cwrtnewydd. Bûm yn ddisgybl yn Ysgol Gyfun Llanbedr Pont Steffan lle roedd yr addysg yn gyfan gwbl trwy gyfrwng y Saesneg. Roedd mwyafrif o'r disgyblion yn gallu siarad Cymraeg a llawer o'r athrawon hefyd, ac roeddwn yn teimlo bod hyn mor ddwl ac anghyfiawn. Pan oeddwn yn y bedwaredd neu'r bumed flwyddyn, daeth athro i'r ysgol i ddysgu hanes a chawsom yr opsiwn i ysgrifennu rhai traethodau ar hanes Cymru yn y Gymraeg. Ro'n i wrth fy modd gyda hyn ac yn pendroni pam na allwn gael fy holl addysg trwy'r Gymraeg a minnau yn Gymraes yn byw yng Nghymru.

Roedd y School Club yn cwrdd yn wythnosol, ond clwb uniaith Saesneg oedd hwn. Penderfynais i a disgybl arall gychwyn y Gymdeithas Gymraeg, sef clwb oedd yn cwrdd drwy'r iaith Gymraeg, ond roedd popeth yn frwydr barhaus. Erbyn i mi fynd i'r chweched dosbarth, roedd hi'n 1969, blwyddyn yr Arwisgo. Dyma achlysur a wnaeth fy nghynddeiriogi! Pan es i i Goleg y Drindod, Caerfyrddin y flwyddyn ganlynol ro'n i wedi cyffroi o gael cwrdd â nifer o bobl hyfryd oedd yn rhannu'r un daliadau â mi. Roedd cell o Gymdeithas yr Iaith wedi ei ffurfio yno a'r peth naturiol i mi oedd ymuno â'r gell honno. Roedd yr ymgyrch tynnu arwyddion yn ei hanterth a chefais hwyl yn mynd allan gyda'm cyfoedion yn y coleg i'w tynnu i lawr.

Cefais fy ngharcharu am y tro cyntaf am tua wythnos, a hynny yng ngharchar Pucklechurch ger Bryste am dorri ar draws achos Llys y Goron yng Nghaerfyrddin. Roedd naw o bobl hŷn wedi cymryd cyfrifoldeb am fod ag arwyddion ffyrdd Saesneg yn eu meddiant, yn rhan o'r ymgyrch i sicrhau statws cyfartal i'r Gymraeg. Am nad o'n i wedi troseddu o'r blaen, dim ond wythnos o garchariad ges i, tra bod y rhai oedd wedi troseddu cyn hynny wedi cael tri mis o garchar.

Yn ystod yr un cyfnod, roedd yr ymgyrch i gael sianel deledu

**Enfys Williams** **Meinir Ifans**

# YN Y CARCHAR DROS Y STEDDFOD

Llun o Enfys Llwyd a Meinir Ffransis ar glawr y Tafod

Gymraeg yn codi stêm, ac roedd yn beth naturiol i mi roi fy enw i lawr fel rhywun oedd yn fodlon gweithredu ynddi. Er mwyn tynnu sylw at yr ymgyrch bwysig yma, roedd angen dwy ferch a dau fachgen i dorri i mewn i adeilad y BBC yn Portland Place, Llundain, mewn protest. Y gweithredwyr y tro hwn oedd Emyr Hywel, Jeff Ifan (Bach), Meinir Ffransis a minnau. Ar ôl torri i mewn i'r adeilad, fe wnaethom gymysgu rhai ffeiliau, eu taflu ar y llawr a rhwygo rhai eraill gyda'r bwriad o gael ein harestio. Ar ôl aros yn hir i'r heddlu gyrraedd cludwyd ni i Lys Ynadon Marlborough, ac o flaen ynad heddwch o'r enw Neil McElligott. Wedi i'n cais i gael siarad yn Gymraeg trwy gyfieithydd gael ei wrthod, dechreuon ni ganu yn y llys fel protest, gyda rhai cefnogwyr yn yr oriel gyhoeddus yn ymuno. Buon ni'n canu caneuon poblogaidd Cymraeg fel 'Moliannwn' a chaneuon Dafydd Iwan ar dop ein lleisiau. Ymateb yr ynad oedd ein hanfon i garchar i gael profion seiciatryddol am dair wythnos! Danfonwyd Meinir a fi i'r Uned Seiciatryddol yng ngharchar Holloway ac Emyr a Jeff i garchar Pentonville.

Fel ymateb i'r penderfyniad i'n danfon i'r Uned Seiciatryddol, aeth y ddwy ohonom ar ympryd am wythnos i brotestio yn erbyn penderfyniad yr ynad. Ar ôl treulio tair wythnos yn cael ein monitro trwy arsylwi arnom yn gwneud gweithgareddau amrywiol, ac ambell gyfweliad gan seiciatrydd, anfonwyd ni yn ôl i'r llys i gael ein dedfrydu. Penderfynodd yr ynad ein bod yn haeddu mwy na chwe mis o garchar. Gan nad oedd grym gan Lysoedd Ynadon i ddedfrydu mwy na chwe mis o garchar, penderfynwyd ein hanfon yn ôl i'r carchar ar remand i aros i gael ein dedfrydu mewn Uchel Lys. Ar yr un diwrnod arestiwyd 43 o aelodau'r Gymdeithas am brotestio tu fas i adeilad y BBC yn Portland Place yn Llundain. Anfonwyd Meinir a fi yn ôl i garchar Holloway am gyfanswm o 12 wythnos i gyd. Yr adeg hynny, hen garchar Fictoraidd oedd carchar Holloway, a gafodd ei adeiladu yn 1852. Yr unig ddodrefn yn y gell oedd gwely bync, un ford fach bren, dwy gadair bren a phot 'pisho'.

Pan o'n ni yng ngharchar Holloway byddem yn cael ein cloi yn ein cell am tua 23 awr y dydd weithiau. Er mwyn codi ein calonnau, bydden ni'n dwy'n canu dipyn yn ein celloedd. Byddai llawer o'r carcharorion eraill yn gofyn i ni ganu gan ei fod yn helpu i'w diddanu a'u tawelu gyda'r nos pan nad oedd unrhyw beth arall i'w wneud. O ganlyniad i hyn cawsom wahoddiad i fod yn rhan o gôr y carchar. Dyma lle cawsom y profiad rhyfedd ac iasoer o ganu mewn chwechawd gyda Myra Hindley!

Fel arfer, carcharorion oedd wedi eu dedfrydu i gyfnodau hir oedd yn cael bod yn rhan o'r côr. Yn ystod y cyfnod hwn, roedd y côr yn paratoi ar gyfer cyngerdd Nadolig y carchar. Roedd Myra Hindley, a ddedfrydwyd i oes o garchar yn achos y Moors Murders, yn aelod o'r côr. Byddai dwy warden yn cerdded gyda hi i bob man gan fod carcharorion eraill wedi bod yn ymosod arni am ei bod wedi lladd plant. Un o eitemau'r gyngerdd honno oedd chwechawd – Myra Hindley ac un ferch arall yn canu rhan yr alto, Meinir a fi yn canu rhan y tenor, a dwy garcharor arall yn canu rhan y soprano. Yr hyn oedd yn syndod oedd ei bod yn edrych yn berson normal! Nid y gwallt melyn roeddwn mor gyfarwydd â'i weld mewn lluniau ohoni ar y teledu ac yn y papurau newydd oedd ganddi bellach, ond gwallt brown tywyll. Roedd yn anodd gen i ddychmygu yr hyn yr oedd hi wedi ei wneud. Ro'n i'n edrych ar ei dwylo gan ddychmygu beth oedd y dwylo wedi ei wneud, beth oedd y llygaid wedi ei weld a beth oedd y clustiau wedi ei glywed. Cawsom ein rhyddhau o'r carchar cyn y Nadolig y flwyddyn honno, ychydig ddyddiau cyn y gyngerdd!

Yn yr Uchel Lys cawsom gyflwyno ein datganiadau, y tro yma yn Gymraeg trwy gyfieithydd. Daeth y barnwr i'r casgliad ein bod wedi dioddef digon a rhoddwyd rhyddhad diamod i ni.

* * *

Gall y profiad o fynd i garchar fod yn hollol wahanol i ferched ac i fechgyn. Er enghraifft, rhai o'r cwestiynau cyntaf oedd yn cael eu gofyn i ni gan swyddogion y carchar oedd: "Sawl erthyliad y'ch chi wedi ei gael?" a "Faint o blant sydd gyda chi?" Ydyn nhw'n gofyn i ddynion wrth eu derbyn i garchar, "Faint o ferched y'ch chi wedi'u beichiogi ac a gafodd erthyliad?" neu "Faint o blant sydd gyda chi ry'ch chi'n arddel mai chi yw eu tad?"

Mae plant yn ffactor bwysig iawn mewn carchar i fenywod. Mae nifer o ferched yng ngharchar â phlant adre, a bydd llawer ohonynt yn hiraethu amdanynt yn eithriadol. Byddant yn profi cyfnodau poenus a rhyw fath o 'alaru dros dro' amdanynt.

Bob tro y cefais fy ngharcharu, y ddau gwestiwn cyntaf y byddai'r carcharorion eraill yn eu gofyn oedd – yn gyntaf, "Am beth rydych wedi eich carcharu ac am ba hyd?" Ac yn ail, "Faint o blant sydd gyda chi?"

Rwy'n cofio un fam sengl yng ngharchar Holloway – roedd hi fel ni wedi cael ei hanfon gan yr ynadon heddwch i'r Uned Seiciatryddol am brofion. Roedd hi tua chanol oed ac yn mynd trwy'r newid corfforol, sef y menopos. Ei throsedd oedd dwyn dillad o ryw siop. Nid oedd hi wedi troseddu o'r blaen ac felly roedd wedi cael sioc ei bod yn y carchar. Roedd ganddi blant ifanc tu fas a doedd hi ddim yn gwybod beth oedd wedi digwydd iddynt. Doedd neb wedi trafferthu dweud dim byd wrthi amdanynt, lle roedden nhw, nac a oeddent yn saff. O ganlyniad, roedd hi mewn stad emosiynol ddiflas yn gofidio am ei phlant ac yn methu gwneud unrhyw beth am ei sefyllfa.

Des i ar draws menywod oedd yn feichiog yn y carchar. Dyna oedd sefyllfa druenus eto. Nid yw'r bwyd yn faethlon yng ngharchar. Yr unig ychwanegiad maethlon i ddeiet y merched oedd yn feichiog oedd cwota yn fwy o laeth i'w yfed na'r gweddill o'r carcharorion. Roedd uned mam a'i phlentyn yn Holloway ac roedd yn dristwch mawr gweld mamau a'u babanod yn y carchar fel hyn. Tristwch llawer dwysach oedd gweld mamau yn gorfod ildio'u babanod i'r awdurdodau er mwyn iddynt gael eu magu tu fas i'r carchar, dim ond ychydig wythnosau ar ôl eu geni.

Ar ôl cael eu derbyn i garchar, byddai'r merched yn cael iriad ceg y groth, neu *smear test*. Rwy'n cofio yng ngharchar Holloway, Llundain, un warden yn cyhoeddi bod yn rhaid i ni gael y prawf yma. Ni ddywedodd yr un swyddog bod hawl gennym i wrthod y prawf, felly es i ymlaen â'r peth. Cafodd nifer ohonom y prawf y diwrnod hwnnw, ond mae un ferch yn arbenning wedi aros yn fy nghof hyd heddiw. Roedd hi'n protestio ac yn dweud nad oedd hi eisiau'r prawf am ei bod hi'n feichiog. Nid wy'n gwybod a oedd y wardeniaid yn ei chredu neu beidio, ond gorfodwyd hi i gael y prawf. Y noson honno rwy'n cofio clywed cloch ei chell yn canu yn gyson drwy'r nos dim ond i glywed drannoeth bod y ferch wedi colli'r plentyn yn ei chell, ar ei phen ei hun, yn ystod y nos. Flynyddoedd wedyn, rwy'n dal i deimlo tristwch mawr dros y ferch honno – ddes i byth i'w hadnabod.

Profiad arall unigryw a digon annymunol i ferched yw'r misglwyf bondigrybwyll! Mewn rhai carchardai, megis Pucklechurch ger Bryste, rhaid gofyn i'r wardeniaid yn gyson am badiau. Yng ngharchar Holloway roeddech yn gallu bachu padiau ar eich ffordd i'r gwaith. Roeddent wedi eu gosod ar silff yn y coridor. Y broblem fawr oedd, ar ôl i chi eu defnyddio, nad oedd unman addas i'w gwaredu. Ateb y carcharorion i'r broblem oedd eu taflu'n ddidrugaredd drwy'r ffenest fechan oedd ar dop y gell. Wrth edrych i lawr ar y llawr concrit tu fas roeddech yn gallu gweld padiau gwaedlyd fan hyn a fan draw. Rhywbryd yn ystod y dydd, gwaith un carcharor fyddai casglu'r padiau brwnt a'u gosod yn y bin. Rhyw unwaith yr wythnos y byddech yn cael bath ac nid oedd plygiau i lawer o'r rhain. Bu'r padiau yma yn ddefnyddiol iawn fel plygiau dal dŵr!

Pan ymunais â Chymdeithas yr Iaith yn 1970, Dafydd Iwan oedd y cadeirydd. Hyd yn hyn dynion oedd pob un o'r cadeiryddion a bu'n rhaid aros tan 1981 nes i Meri Huws, y ferch gyntaf, gymryd ei sedd fel cadeirydd y Gymdeithas. Dilynwyd hi yn 1982 gan Angharad Tomos.

Ar y cyfan, credaf fod aelodau Cymdeithas yr Iaith Gymraeg, yn ferched a bechgyn, yn llawer mwy rhyddfrydol eu hagwedd tuag at hawliau cyfartal i ferched na llawer o fudiadau eraill roeddwn yn perthyn iddynt ar y pryd.

I mi, roedd y profiad o fod yn aelod o Gymdeithas yr Iaith yn fwy na bod yn rhan o fudiad iaith yn unig. Roedd yn agor meddyliau ac yn datblygu ynoch ddealltwriaeth ac undod gyda mudiadau eraill oedd yn ymladd dros hawliau ac yn erbyn anghyfiawnderau ar draws y byd. Fe wnaeth cwrdd ag unigolion a chanddynt syniadau goleuedig roi tipyn o hyder i mi fel unigolyn ac fel merch ar ddechrau'r saithdegau.

# Marged Tomos

Digwyddodd yr ymaelodi'n naturiol rywsut, er nad wyf yn cofio'n union pryd yr ymaelodais gyntaf. Roeddwn i yn Ysgol Uwchradd Tregaron yn ystod y chwedegau ac roeddwn i a fy ffrind gorau yn cymryd diddordeb mewn pethau Cymraeg megis cantorion, cyngherddau a digwyddiadau mawr mewn llefydd fel Pafiliwn Pont-rhydfendigaid. Hefyd, yn yr ysgol, roedd papurau newyddion yn cael eu harddangos yn y coridor ac rwy'n cofio treulio amser yn darllen *Y Cymro* a'r *Faner* bob tro y bydden nhw'n ymddangos.

Yn ogystal â hynny, roeddwn yn treulio cryn dipyn o amser yn Aberystwyth yng nghartref fy chwaer, ac roedd Siop y Pethe wedi agor. Yno roedd llyfrau, recordiau, cylchgronau a phapurau newyddion. Un o'r cylchgronau hynny, wrth gwrs, oedd *Tafod y Ddraig*, ac roedd sticeri a phamffledi'r Gymdeithas ar gael hefyd. Yr oedd Gwilym Tudur, sylfaenydd y siop, yn un o aelodau amlycaf y Gymdeithas ar y pryd.

Dau ddigwyddiad sy'n aros yn y cof o'r cyfnod hwnnw, sef Rali Cilmeri ym 1969, pan fu Emyr Llywelyn a Waldo Williams yn annerch, a hefyd Eisteddfod yr Urdd yn Aberystwyth. Yr oeddwn wedi mynd i'r Eisteddfod ar ben fy hun, gan fy mod yn aros gyda fy chwaer. Wedi eistedd yn y pafiliwn, fe welais griw o aelodau'r Gymdeithas, ac es draw atyn nhw. Mae'r gweddill yn wybyddus, wrth gwrs. Pan gododd y tywysog i siarad, dyma ni i gyd yn codi i dorri ar ei draws, ac i chwifio placardiau cyn cerdded allan.

Gyda chefndir fel yna, dilyniant naturiol oedd ymuno â Chymdeithas yr Iaith pan euthum i Goleg y Drindod, Caerfyrddin ym Medi 1970.

Y digwyddiad mawr cyntaf yr oeddwn yn rhan ohono ar ôl mynd i Goleg y Drindod oedd lansio'r ymgyrch i dynnu i lawr arwyddion ffyrdd Saesneg yn Synod Inn, ddechrau Rhagfyr y flwyddyn honno.

Malu arwydd yn Synod Inn

Roedd tri neu bedwar ohonom wedi teithio o Gaerfyrddin i Frynhoffnant, lle y cyhoeddwyd y byddai'r rali yn digwydd. Roedd tyrfa fawr wedi dod at ei gilydd, a'r heddlu yno'n drwch i gadw llygad arnon ni. Wrth i ni ddisgwyl i bethau ddechrau, daeth rhyw sibrwd trwy'r dorf. Trodd gyrrwr ein car aton ni a dweud, "Synod Inn! Teithiwn!" Rhyw dacteg i gamarwain yr heddlu oedd Brynhoffnant. Pan gyrhaeddon ni Synod Inn, bu rali fawr a thynnwyd arwydd i lawr o dan drwynau'r heddlu, a gosodwyd pentwr o rai eraill ar y llawr wrth draed Dafydd Iwan oedd yn arwain y gweithgareddau. Gwthiodd un plismon ei ffordd i'r blaen, a gofyn i Dafydd Iwan, "Ife chi sydd wedi gwneud hyn?" gan bwyntio at yr arwyddion. "Ie!" atebodd Dafydd – ond cyn i'r plismon allu gwneud dim byd mwy, dyma lais o'r dorf yn gweiddi, "Nage! Fi!", a chyn pen dim, roedd dwsinau ar ddwsinau o bobl yn hawlio mai nhw dynnodd yr arwyddion i lawr.

Roeddwn i'n gyfarwydd iawn gydag un o'r ffotograffwyr yn y rali honno gan mai brodor o Landdewibrefi oedd e a minnau. Fe dynnodd e lun ohonom yn dal darn o arwydd fel pe baem yn ei chwalu'n rhacs!

Yn dilyn y rali honno, bu Cymdeithas yr Iaith a'i gweithgareddau yn rhan amlwg o'n bywyd ni yn y coleg. Buon ni'n dilyn cyfarfodydd a raliïau, yn cefnogi achosion llys, yn mynd allan gyda'r nos i dynnu arwyddion, ac fe wnaethom feddiannu ambell dŷ haf hefyd. Roedd pawb ohonom, yn ferched a bechgyn, yn rhan o'r gweithgarwch gyda'n gilydd ac ni ches i unrhyw arlliw o gael fy nhrin yn wahanol gan neb oherwydd ’mod i’n ferch. Roedd e’n gyfnod cyffrous, yn llawn antur, poen ar adegau, ac ambell ddigwyddiad y gallwn edrych yn ôl arnynt gan chwerthin. Dyna’r tro hwnnw, a llond car ohonom yn ardal Llandysul ym mherfeddion nos â’n bryd ar dynnu arwyddion, pan darfwyd arnom gan ryw waedd. Wedi i ni rewi mewn ofn am eiliad, dyma’r floedd eto – a ninnau’n neidio i mewn i’r car a mynd oddi yno ar frys, gan feddwl yn siŵr i ni glywed ysbryd! Ddaethon ni byth i wybod beth, neu bwy, oedd yn gyfrifol am y sŵn!

Bu’n frwydr gyson rhyngom ni a phlismyn tref Caerfyrddin, a daeth nifer ohonynt i’n hadnabod yn dda, gan ddod yn ddigon cyfeillgar, i ddweud y gwir. Yr oedd arwydd swyddfa’r heddlu yn uniaith Saesneg, a bu bygwth cyson gennym i’w dynnu i lawr. Aeth yn arferiad i fynd heibio i’r arwydd yn hwyr y nos, er mwyn denu sylw’r plismyn. Cymaint oedd eu consýrn nes iddynt osod larwm arno. Y gêm wedyn oedd mynd a rhoi plwc i wifren y larwm, a rhedeg nerth ein traed i guddio a gwylio’r plismyn yn tasgu o’u swyddfa i

Rali fawr diwedd Achos yr Wyth y tu allan i Lys y Goron Abertawe – mae Marged yn sefyll yn y tu blaen, yr ail berson i’r chwith o Dafydd Iwan

weld beth oedd yn digwydd. Yn y diwedd, aethant cyn belled â chael plismyn yn eistedd mewn car ar ochr arall y ffordd yn gwarchod y peth.

Yn nes ymlaen yn ystod fy amser yn y coleg, bu i grŵp ohonom feddiannu dau dŷ haf ar bob ochr i'r ffordd yn ardal Capel Iwan. Roedd rhai o'r bobl oedd yn byw gerllaw yn gandryll gyda ni, ac fe gawsom ein bygwth ganddynt, er na fentron nhw wneud dim, ond bu'n rhaid i ni symud y car oherwydd roedd gwir beryg iddo gael niwed. Ar ben hyn i gyd, fe glywsom fod perchennog un o'r tai ar y ffordd i lawr, wedi iddo glywed am y meddiannu.

Roedden ni i gyd yn nerfus iawn erbyn hyn, a phenderfynon ni ddod â'r ddau griw at ei gilydd i'r un tŷ i gwrdd â'r perchennog. Cyrhaeddodd hwnnw yn y bore, dod i mewn i'r tŷ a'n cyfarch yn Gymraeg, "Beth sy'n mynd ymlaen 'ma?" Cawsom gymaint o sioc fel na ddwedodd neb air am rai eiliadau – ond buan y sylweddolon ni mai dim ond ychydig eiriau oedd ganddo, ac na allai gymryd y sgwrs ddim pellach. Er bod ei wraig yn gacwn wyllt gyda ni am feiddio torri i mewn, roedd y dyn yn dawelach o lawer, yn enwedig o sylweddoli nad oedd dim niwed i'r tŷ. Ar ôl i ni ddweud y byddem yn gadael mewn rhyw ddwy awr, fe dderbyniodd ein gair a gadawodd lonydd i ni, ac ni fu unrhyw ganlyniadau i'r digwyddiad.

Ym mis Ebrill 1972, bu naw o bobl hŷn a pharchus o flaen Llys y Goron yng Nghaerfyrddin am iddynt gario arwyddion ffyrdd drwy'r dref. Wrth reswm, bu aelodau'r Gymdeithas, a myfyrwyr Coleg y Drindod yn eu plith, yn mynychu'r achos ac yn tarfu ar y barnwr a'r erlynwyr wrth eu gwaith. Yn gynnar yn yr wythnos, ces fy ngwahardd o'r llys gan y plismyn, un ohonynt yn blismon digon cefnogol a chyfeillgar, a chefais rybudd i beidio mynd yn agos i'r achos eto. Ond yr oedd eraill yn mynd, ac roeddwn i eisiau bod yn rhan o'r ymgyrch. Felly, dyma wisgo wig fawr a dillad gwahanol i'r arfer er mwyn ceisio mynd i mewn i'r llys, ac fe fues i'n llwyddiannus, a hynny dan drwyn y plismon cyfeillgar! Cafodd y plismyn orchymyn i glirio'r llys ar ôl i ni godi twrw ac, wrth i ni gael ein llusgo oddi yno, dyma'r plismon

**CARCHAR PUCKLECHURCH**

Iola Gregory

Ann Rhys

Marged Davies

Lis Rowlands

Marged, Iola, Ann a Lis ar glawr y Tafod

caredig yn fy nabod ac yn methu credu ei lygaid! Diwedd yr holl beth oedd i ni i gyd gael ein harestio a'n cadw yn y ddalfa tan ddiwedd yr achos.

Fodd bynnag, nid dyna ddiwedd y stori. Pan ddaethom yn ôl i'r llys, penderfynodd y barnwr garcharu saith ohonom am dri mis gan ein bod wedi 'sarhau' y llys o'r blaen. Anfonwyd Iola Gregory, Ann Rhys Williams, Lis Rowlands a minnau i Pucklechurch, carchar i ferched gerllaw Bryste. Pan gyrhaeddom yno, cawsom ar ddeall na chaem siarad Cymraeg gyda'n hymwelwyr; a phrofiad rhyfedd oedd eistedd yn yr ystafell ymweld yn methu dweud gair wrth bobl y buasem fel arfer yn parablu'n ddi-baid gyda hwy. Ond bu cryn stŵr am hyn yn y wasg, a bu gohebu mawr gydag awdurdodau'r carchar. Ar ben hynny, cynhaliwyd protest tu allan i ddrysau'r carchar gan grŵp o famau, yn cynnwys mamau'r pedair ohonom, a phen draw'r holl beth oedd i reolwyr y carchar ildio a chaniatáu i ni siarad Cymraeg. Fe drefnwyd bod swyddogion carchar o Gaerdydd yn dod i wrando ar ein sgyrsiau. Yn eironig iawn, nid oedd y swyddogion hynny yn siarad Cymraeg bob tro!

Un cof arall sydd gen i am y cyfnod hwnnw yn Pucklechurch yw ymweliadau Norah Isaac, oedd yn bennaeth yr Adran Ddrama yng Ngholeg y Drindod. Yr oedd tair ohonom yn fyfyrwyr drama, a threfnwyd ein bod yn cael ambell ddarlith. Deuai Norah Isaac i'r stafell yn fywyd i gyd, a chyflwyno'i darlithiau ar Twm o'r Nant yn ei dull unigryw ei hun. Cerddai yn ôl ac ymlaen, a chwifio'i breichiau i bob cyfeiriad a llefaru mewn lleisiau amrywiol. Tonic yn wir i ni – ac achos syndod a phenbleth mawr i'r swyddogion oedd yn gofalu amdanom!

Y mamau y tu allan i garchar Pucklechurch (mam Marged yw'r un reit ar y chwith, a Millie Gregory, mam Iola, sy'n arwain y brotest) yn protestio am yr hawl i Marged, Iola, Ann a Lis gael siarad Cymraeg â'u mamau yn ystod ymweliadau. Roedd Millie Gregory hefyd yn weithredol yn yr ymgyrch arwyddion, gan drefnu deiseb yn galw am arwyddion dwyieithog.

# Llio Silyn

Roeddwn i'n blentyn yn y chwedegau, ac yna yn fy arddegau yn ystod y saithdegau. Cyfnod cyffrous, diddorol – ond cyfnod anodd a llawn heriau hefyd i Gymry Cymraeg ifanc fel fi.

Roeddwn yn byw ym mhentref Penrhyndeudraeth ar gyrion Sir Feirionnydd. Pentref Cymreig tu hwnt, ond dwi'n cofio teimlo pan oeddwn i'n blentyn, er mor gadarn oedd yr iaith Gymraeg, nad oedd pobl ar y cyfan yn sylweddoli – nac yn gwerthfawrogi – ei phwysigrwydd. Hefyd wrth gwrs, roedd Prydeindod yn bwysicach na Chymreictod yn y cyfnod yma. Roedd y Blaid Lafur yn ei hanterth, ac roedd hyn yn cael ei drafod yn aml gan fy mam a 'nhad, a oedd yn Bleidwyr mawr, yn aelodau brwd o Gymdeithas yr Iaith, ac yn gwneud cymaint ag y gallent drwy'r amser i fynnu statws i'r iaith Gymraeg.

Roedd gwir angen deffroad – a hyder – ar y Cymry Cymraeg i deimlo balchder yn eu hiaith, ac, ar yr un pryd hefyd, i hawlio cyfiawnder i'r iaith, a oedd yn aml iawn yn cael ei thrin yn gwbl eilradd gan yr awdurdodau yn y cyfnod yma.

Cofio mynd efo fy rhieni, yn blentyn ifanc, i brotestiadau'r Gymdeithas yn niwedd y chwedegau, a chael sioc o weld yr heddlu yn llawdrwm iawn – yn gorfforol a geiriol! – efo'r protestwyr. Roeddwn i'n llawn edmygedd o'r rhai oedd yn dioddef hyn heb fyth daro 'nôl, na defnyddio trais yn erbyn yr heddlu oedd yn eu llusgo a'u taflu – ac weithiau yn eu curo – pan oeddynt yn protestio'n heddychlon a di-drais.

Yna, daeth y cyfnod pan oedd cymaint o aelodau'r Gymdeithas yn cael eu carcharu am weithredu dros yr iaith. Roeddwn i'n llawn edmygedd ohonyn nhw i gyd – yn enwedig y merched!!

Yn fy arddegau ynghanol y saithdegau, fe ddechreuais fynd i brotestiadau'r Gymdeithas dros gyfiawnder i'r iaith gyda fy ffrindiau ysgol. Dyma'r cyfnod hefyd pan oedd arwyddion uniaith Saesneg – fel ag yr oedd ym mhobman – yn cael eu peintio'n wyrdd a'u tynnu i lawr.

Roedd y ffaith fod y byd pop Cymraeg mor gyffrous a phwysig yr adeg yma hefyd yn rhoi hyder i nifer helaeth o Gymry Cymraeg. Dyma gyfnod Edward H, Geraint Jarman, Hergest, Meic Stevens a nifer o artistiaid gwych eraill a roddodd hyder i ni'r Cymry Cymraeg ifanc. A dyma'r cyfnod pan oeddan ni'n mynd i'r cyngherddau pop mawr, fel y rhai hynny yng Nghorwen a Phontrhydfendigaid – ac yna, wrth gwrs, ym mis Awst, i'r Maes Ieuenctid (Maes B yn ddiweddarach) yn yr Eisteddfod Genedlaethol i fwynhau wythnos gyfan o'r byd pop Cymraeg! Cael mynd efo fy ffrindiau am y tro cynta – heb fy rhieni – i Eisteddfod Aberteifi yn 1976! Profiad bythgofiadwy!

Felly, yn 1976, a finnau'n 16 oed, fe benderfynais fod rhaid i finnau hefyd wneud fy rhan, fel cymaint o rai eraill, yn y frwydr i gael gwared ar yr arwyddion uniaith Saesneg oedd ym mhobman. A phenderfynais i, ynghyd â fy ffrind agos, Gruff, oedd yn Ysgol Ardudwy yr un pryd â fi ac yn genedlaetholwr i'r carn, fod yn rhaid i ni fynd i wneud ein rhan, a hynny yn oriau mân y bore yn ardal Penrhyndeudraeth.

Fe benderfynon ni'n dau gyfarfod am 2 o'r gloch y bore yn 'steshion trên fach' yn nhopia Penrhyndeudraeth. Roeddwn i wedi mynd â dau frwsh a thun o baent gwyrdd o'r sied. Hefyd, sbanars a sgriwdreifar fy nhad – i'w tynnu i lawr! Mi sleifiais i drwy ffenest fy llofft yn yr atig a llithro i lawr y to cyn cerdded i ffwrdd efo'r paent, y brwshys a'r bocs tŵls i gyfarfod Gruff yn y steshion am ddau o'r gloch y bore!

Yna, ffwrdd â ni a dechrau peintio'r arwyddion yn wyrdd, wrth gwrs! Roedd hi'n ormod o strach i'w tynnu! Wrthi'n peintio arwydd 'Give Way' ar gyrion y pentre oeddan ni, pan ddaeth car heddlu heibio – ac arafu! – a throi 'nôl yn y pellter. Dwi'n cofio taflu'r brwshys, y tun paent – a'r bocs tŵls – yn slei dros y ffens i'r cae cyfagos.

Yn anffodus, roedd genna i streipen werdd ar fy wyneb! A dyna be ddywedodd y plismon yn sarrug wrtha i pan ddaeth o wyneb yn wyneb efo fi a Gruff – cyn ein gwthio'n ddiseremoni i gefn y car a mynd â ni i orsaf yr heddlu ym Mhenrhyndeudraeth.

Cofio nhw'n ffonio fy rhieni, a hithau'n tynnu at 5 o'r gloch y bore, i ddweud 'mod i lawr yn swyddfa'r heddlu! Cofio hefyd clywed Gruff yn gwingo mewn poen wrth i un o'r heddweision roi dwrn iddo fo i drio ei gael o i gyfaddef ei fod o'n euog. Ond dadlau 'nôl oedd Gruff gan ddweud nad oedd o ddim wedi gwneud dim o'i le, a'i fod wedi gwneud beth oedd angen ei wneud – chware teg iddo fo!

Daeth fy mam a 'nhad i'm hebrwng adra, ond gallaf gofio hyd heddiw nad oedden nhw'n flin nac yn annifyr o gwbl efo fi. Dim ond gofyn – a gofyn – oeddwn i'n iawn! Y bore wedyn, mi es i'r ysgol ar y trên, fel pob diwrnod arall. Wrth gwrs, roedd bron pawb yn yr ysgol yn gwybod yr hanes erbyn diwedd y dydd – a dwi'n cofio hyd heddiw fod ein ffrindiau yn Penrhyn yn ein hedmygu am beth oeddan ni wedi'i wneud!

Daeth yr achos llys yn Llys yr Ynadon ym Mhenrhyndeudraeth. Fe ddechreuodd Gruff a finnau biffian chwerthin pan ddywedwyd – yn Saesneg wrth gwrs – fod genna i anferth o streipen werdd ar hyd fy wyneb!

Rhoddodd fy nhad araith arbennig yn cefnogi beth oeddwn i wedi'i wneud, a dweud ei fod yn fodlon talu fy nirwy o 'hundred and twenty guineas' fel y dywedwyd ar y pryd. Arian mawr yr adeg honno!

Oherwydd cefnogaeth gadarn fy rhieni, a'r ymateb a'r gefnogaeth a fu gan lawer yn y pentre i'r weithred, fe deimlais wedyn 'mod i a Gruff wedi cyflawni gweithred bwrpasol dros gyfiawnder i'r iaith, a sylweddolais oherwydd hyn fod gweithredoedd o'r fath yn dod â sylw a chyhoeddusrwydd i'r anghyfiawnder oedd yn bodoli.

# Helen Smith

Ymaelodais yn y saithdegau, pan oeddwn yn dal yn yr ysgol, am fy mod yn gweld diffyg statws cyhoeddus i'r Gymraeg ar y pryd, yn enwedig yma yng Nghaerdydd. Rwy'n cofio ymgyrchoedd lleol cyn imi fynd i'r brifysgol, yn fwyaf nodedig yr ymgyrch dros fysus dwyieithog yng Nghaerdydd. Roedd cynllun ar y gweill i newid lliw bysus Caerdydd, naill ai'n oren neu'n las, gyda naill ai 'Cardiff Buses' neu 'City of Cardiff' ar eu hochr, heb sôn am y Gymraeg. Felly, ymgyrch lythyra amdani, a dyfalbarhau, trwy ohebiaeth, hyd nes i'r rhai oedd yn gyfrifol am y newid benderfynu ar slogan dwyieithog, sef 'Dinas Caerdydd / City of Cardiff'. Cofiaf hefyd Undeb Disgyblion Cymru, mudiad o blith plant ysgol a oedd am weld mwy o addysgu cyfrwng Cymraeg mewn ysgolion.

Roeddwn yn un o nifer o ferched oedd yn aelodau o Gymdeithas yr Iaith ar y pryd, a'r un peth yn wir erbyn imi gyrraedd y brifysgol.

Y cartwn di-boblogi yn *Tafod y Ddraig*, 1975

Ar lefel bersonol, doeddwn i ddim yn credu fy mod dan unrhyw anfantais o fod yn ferch, o ran peintio sloganau ac yn y blaen. Roedd y dynion a'r merched yn cymryd rhan mewn gweithgareddau fel ei gilydd.

Un atgof penodol: poster yn sôn am ddiboblogi, ac yn portreadu teulu, sef mam, tad a dau (os cofiaf yn iawn) o blant. Roedd y golygfeydd ar ffurf stribed mewn comig, yn disgrifio'r sefyllfa ar ôl i'r tad golli ei swydd ac, yn union fel pe bai ei wraig a'i blant yn eiddo personol i'r gŵr, dyma'r teulu cyfan yn symud dros y ffin er mwyn i'r tad gael gwaith! Roeddwn i'n credu bod neges y poster hwnnw'n gwbl 'secsist', am nad oedd yn ystyried y posibilrwydd y gallai'r wraig fynd allan i ennill arian, neu ailgydio yn ei haddysg i ddysgu crefft a fyddai'n ei gwneud yn fwy cyflogadwy. Dim byd o'r fath! Yn hytrach, roedd awdur y poster yn cymryd yn ganiataol mai'r gŵr oedd yr unig enillydd o fewn y teulu, a hynny'n creu argraff anghywir ynglŷn â gwerth swyddi i fenywod ac, yn y pen draw, addysg i ferched. Yn wir, tua dechrau'r wythdegau, ysgrifennais feirniadaeth ar y poster hwnnw, yn nodi'r union bwyntiau hynny, a chyhoeddwyd y feirniadaeth honno mewn rhifyn o'r *Tafod*.

# Lilian Edwards

Cefais fy ngeni a'm magu yn y Rhyl. Mi fues yn ddigon ffodus i gael mynychu Ysgol Glan Clwyd, a gafodd ei disgrifio'r adeg hynny fel 'a hotbed of nationalism'. Roedd hi yr un fath adref i mi hefyd. Roedd fy nhad yn radical ac roedd gwleidyddiaeth yn bwnc byw ar yr aelwyd. Mae gen i frawd a chwaer llawer hŷn na fi. Chawson nhw ddim addysg drwy gyfrwng y Gymraeg, ond gan nad oedd gair o Saesneg i gael ei siarad ar yr aelwyd maen nhw yn gwbl ddwyieithog hefyd. Roedd y fagwraeth yn y Rhyl yn chwithig. Cymraeg ar yr aelwyd, yn yr ysgol, y capel ac yn ddiweddarach yn Aelwyd yr Urdd, ond y ffrindiau oedd yn byw yn gyfagos rown yn chwarae efo nhw fin nos ac ar benwythnos yn ddi-Gymraeg ac yn ddi-barch at y Gymraeg ac yn gwneud i mi deimlo yn wahanol ac yn israddol.

Mynychais Ysgol Gynradd Gymraeg Dewi Sant yn y Rhyl ac yna Ysgol Glan Clwyd, a gafodd ddylanwad mawr ar fy mywyd a rhoi golwg newydd imi ar y Gymraeg. Ro'n i'n hapus yno o'r diwrnod cyntaf, gan wneud ffrindiau efo merched a oedd yn dod o gefndiroedd tebyg i mi ac yn dod o wahanol ardaloedd yn yr hen Sir Fflint. Roedd y Gymraeg yn ail iaith i lawer a Saesneg oedd iaith y buarth ran amlaf, ond mi glosiais i at Gymry Cymraeg iaith gyntaf ac roedden ni bob amser yn siarad Cymraeg efo'n gilydd – merched fel Mair Vaughan Jones, Gwyneth Edwards, Bronwen Evans, Mair Ellis ac eraill a aeth yn eu blaenau i fod yn aelodau gweithgar o Gymdeithas yr Iaith. Roedd athrawon brwdfrydig yno oedd eisiau gweld yr iaith yn cael statws ym myd addysg ac ymhob agwedd o'r gymdeithas.

Yr ymgyrch arwyddion dwyieithog oedd cychwyn popeth i mi. Tra o'n i yn y coleg ym Mangor roedd protestio mewn llysoedd yn digwydd yn aml. Roedd y profiad o gael ein cam-drin yn un newydd a phoenus. Roedd yn sioc i brofi atgasedd a ffyrnigrwydd rhai aelodau o'r heddlu tuag atom ni a'r bryntni a ddefnyddiwyd wrth daflu merched deunaw oed allan o lysoedd barn. Ymhen amser fe ddaethon ni i arfer â'r drefn ac i dderbyn y sefyllfa. Doedd dim sôn am ddod â chwynion yn erbyn yr heddlu ac roedd yn gyfnod 'macho'. Caent wneud fel licien nhw ac roedd aelodau o'r cyhoedd yn ymuno yn y bryntni. Wrth gwrs, Cymry Cymraeg oedd llawer o'r plismyn. I fod yn deg, roedd rhai yn amlwg yn cydymdeimlo, ond doedd eraill ddim. Cawsom brofiad gwael ym Mhwllheli o bob man lle roedd y plismyn i gyd yn Gymry Cymraeg. Cafodd nifer o ferched eu niweidio wrth gael eu taflu i lawr grisiau serth gan daro eu pennau ar y ffordd i lawr.

Y saithdegau oedd y cyfnod fues i yn rhan o weithgareddau Cymdeithas yr Iaith. Ddim ym Mangor y gweithredais fy hun am y tro cyntaf ond gyda ffrindiau a fu yn yr ysgol efo mi (ar gyfer y gyfrol yma dim ond enwau merched rwy am eu cynnwys). Mi benderfynodd Gwyneth Edwards, Bryngwyn Mawr a minnau, gyda chymorth dau arall, fynd i osod enwau Cymraeg dros enwau Saesneg ar arwyddion yn Llanelwy. Roedd gludo llythrennau unigol ar yr arwyddion yn broses ddigon anodd a hir ac mi gawson ni'n dal gan blismon lleol. Mi wnaethon ni wrthod siarad Saesneg efo'r plismon gan ein bod yn gwybod ei fod yn Gymro Cymraeg, ac yn y diwedd mi siaradodd Gymraeg efo ni.

Daethpwyd â chyhuddiad o 'Obliterating road signs in St Asaph' yn ein herbyn ac fe wnaethom ymddangos yn y llys ym Mhrestatyn yn ddiweddarach – gweithred fechan a'r gyntaf o'i bath yn yr ardal a ddiweddodd yn dipyn o sioe. Siaradodd gweinidog o'n plaid yn y llys a gŵr ifanc arall. Roedd cadeirydd y fainc yn Gymro Cymraeg ac yn un oedd â chydymdeimlad â'r achos. Cynhaliwyd yr achos yn ddwyieithog ond yn bennaf yn y Gymraeg. Cawsom ein rhyddhau yn amodol â dirwy. Yna dechreuodd cefnogwyr yn y llys brotestio a thaflwyd dau berson allan. Wedyn gwnaethpwyd casgliad yn y llys a thalwyd ein dirwy. Ar ôl gwagu'r llys ceisiodd rhai ddod yn ôl i mewn yn cario arwyddion. Cynhaliwyd achos arall wedyn yn hwyrach yn y prynhawn yn erbyn y rhai a oedd wedi ceisio dod ag arwyddion i'r llys. Roedd chwech o'r rhain yn ferched, sef Mair Ellis o Ddyserth, Elisabeth Parry o Fethesda, Blodeuwedd Jones o'r Wyddgrug, Eleri Evans o Fethesda, Bronwen Evans o Garmel, Treffynnon ac Eirian Llwyd Jones o Brion. Mae'r tair olaf wedi ein gadael erbyn hyn. Aeth y merched yma ymlaen i wneud cyfraniad gwerthfawr i waith y Gymdeithas.

Ar ôl hynny mi fues yn eithaf prysur yn yr ymgyrch arwyddion gan dreulio ambell i noson ddi-gwsg yn tynnu arwyddion. Un achos arwyddocaol, a'r tro olaf i mi fod mewn achos yn ymwneud ag arwyddion, oedd pan agorwyd ffordd newydd Rhuddlan ar ddiwedd y saithdegau. Ar ôl yr holl ymgyrchu fe roddwyd arwyddion uniaith Saesneg i fyny. Cafwyd protest fawr. Daethpwyd â llond Landrover o arwyddion o rywle ac fel rhan o'r brotest, aethom ati i ddadlwytho'r arwyddion. Fe arestiwyd nifer ohonom a'n cymryd i swyddfa'r heddlu ym Mhrestatyn. Y tro yma cefais weld a threulio rhai oriau yng nghelloedd swyddfa heddlu newydd Prestatyn. Roedd cadeirydd y fainc yn brifathro ar ysgol Gymraeg leol ac yn gyfarwydd â nifer ohonom. Doedd dim trugaredd. Alla i ddim cofio faint o ddirwy gawson ni ond y cyhuddiad oedd 'Handling stolen goods', cyhuddiad a arhosodd gyda fi ar hyd y blynyddoedd wedyn heb eglurhad i unrhyw gyflogwr. Cafodd gyrrwr a pherchennog y Landrover gyhuddiadau mwy difrifol.

Alla i ddim cofio ym mha flwyddyn y digwyddodd gwahanol bethau, ond yn y cyfnod yma hefyd roedd yr ymgyrchu dros sianel Gymraeg. Roedd yr ymgyrch yma yn gyfnod o wrthod talu trwyddedau teledu, dringo mastiau teledu a difrodi eiddo. Digwyddiadau heddychlon fel pob protest gan Gymdeithas yr Iaith, na fyddent yn peryglu bywyd y cyhoedd, ond roedd dringo mastiau yn beryglus iawn ac aelodau dewr iawn a wnaeth hyn. Roedd yr ymyrryd yma efo'r mastiau a difrodi eiddo yn droseddau difrifol. Roedd yr aelodau a fu ynghlwm â hyn yn gwybod y gallai arwain at garchar ac mi fu achosion llys a arweiniodd at aelodau yn wynebu cyfnodau hir yn y carchar.

Fy unig gyfraniad i yn hyn o beth, ar wahân i brotestio, oedd gyrru dau berson yn fy nghar at drosglwyddydd Holmfirth. Dydw i ddim yn cofio pa amser o'r flwyddyn oedd hi ond roedd yn siwrnai hir ac roedd hi'n dywyll iawn yng nghefn gwlad Lloegr. Roedd hyn i gyd yn gyfrinachol iawn, felly doeddwn i ddim wedi dweud wrth neb 'mod i'n mynd. Ro'n i'n gwybod pam roedden ni'n mynd a beth oedd yn mynd i ddigwydd ac ro'n i'n ymwybodol o'r oblygiadau pe baem yn cael ein dal, ond do'n i ddim yn gwybod lle oedden ni'n mynd tan y funud olaf. Roedd yn anodd gwylio'r ddau yn dringo i ben y trosglwyddydd – dim ond llithriad troed a gallai fod damwain ddifrifol, ond fe wnaethon nhw lwyddo. Alla i ddim cofio pam, ond aethom i mewn i dafarn fach wledig rai milltiroedd o'r trosglwyddydd ar y ffordd adref. Roedd sŵn mawr yn dod o'r dafarn – gweiddi a chwyno. Roedd gêm bêl-droed bwysig iawn yn cael ei darlledu ar y teledu y noson honno ac felly roedd llawer wedi dod i'r dafarn i wylio'r gêm, ond am ryw reswm roedd y teledu yn y dafarn wedi 'torri'. Roedd lot o droi'r nobiau a symud yr erial ond dim ond tywyllwch oed ar y sgrin. Aethom oddi yno'n reit dawel.

Bu llawer o achosion llys difrifol a charcharwyd nifer yn ystod ymgyrch y Sianel. Roedd un achos yn Llys y Goron yr Wyddgrug ac eto, alla i ddim cofio pa flwyddyn. Yn y llys roedd tri gŵr ifanc, dau ohonynt o'r Rhyl ac un o Fethesda. Fe barhaodd yr achos am amser hir a bu llawer o brotestio tu mewn a thu allan i'r llys gyda mwy o bobl yn cael eu restio, yn eu mysg Meinir Ifans. Gan mai sôn am ferched mae'r gyfrol hon mae cyfle yma i dalu teyrnged i bedair gwraig ganol oed a fu'n eistedd yn y llys am oriau hir yn dilyn yr achos, ac o leiaf un ohonynt yno bob dydd. Fe ymunon nhw yn y protestio a rhoi cur pen haeddiannol i'r heddlu. Y pedair oedd Mrs Marjorie Francis, Mrs Gwyneth Fellows, Mrs Elizabeth Jones a Mrs Gwen Edwards – pedair sydd wedi ein gadael erbyn hyn ond pedair a wnaeth gyfraniad.

Mae un brotest arall yr hoffwn sôn amdani sef protest yn Llundain. Roedd hi'n wythnos Eisteddfod Hwlffordd ac roedd bws neu ddau yn teithio dros nos o'r Eisteddfod i Lundain. Roedd y brotest i gael ei chynnal y tu allan i Ganolfan y BBC. Doedd dim o'm ffrindiau am golli diwrnod yn yr Eisteddfod ac ro'n i wedi cael dôs o ffliw Steddfod a oedd fel arfer yn dod o orflinder, gorganu a dawnsio. Roeddwn i'n wir eisiau mynd a fy ffrindiau yn dweud nad oeddwn yn ddigon da am fod gwres mawr arna i. Mi es. Roedd digon ar y bws ro'n i yn eu nabod. Mi gymrais ddôs o rywbeth a chysgu yn sownd nes cyrraedd Llundain. Deffrais yn y bore yn teimlo yn iawn. Roedd cryn dyrfa ohonom yn eistedd a chanu a chwifio placardiau yn 'Mynnu Sianel Gymraeg'. Fe arestiwyd cryn dipyn ohonom a'n cymryd mewn bws i swyddfa heddlu Marylebone. Ar ôl cymryd ein manylion cawsom ein cymryd i'r celloedd. Mi welais du fewn i cryn dipyn o gelloedd yn ystod y cyfnod yma ond hwn oedd y gwaethaf. Roedd yn hen gyda waliau tamp. Roedd tri gwely a blanced garw, budur ar bob un. Roedd hefyd doiled yn y gell a drewdod mwyaf difrifol. Cefais gwmni da yno. Tair ohonom oedd yn nabod ein gilydd yn ddigon da i fentro defnyddio y toiled bob yn un tra roedd y ddwy arall yn troi eu cefnau. Y ddwy oedd yn rhannu y gell oedd Elinor Roberts o Ddyserth (cyn ddisgybl o Ysgol Glan Clwyd) ac Ann Preston o Flaenau Ffestiniog. Y ddwy yma wedi ein gadael yn llawer rhy fuan. Aeth Elinor ymlaen i fod yn Ysgrifenyddes y Gymdeithas ac Ann i gymryd rhan mewn llawer ymgyrch bellach. Mi rydw i'n falch o gael cyfle i dalu teyrnged i'r ddwy yma. Bu achos llys brys yn y bore mewn ystafell a oedd yn llawer rhy fach i'r dyrfa oedd yno. Alla i ddim cofio maint y dirwy na'r cyhuddiad ond roedd yn brotest effeithiol a ddaeth â thraffig y rhan honno o Lundain i stop. Cafodd gryn sylw yn y wasg Saesneg ac roedd Lloegr yn gwybod am frwydr y Cymry am eu sianel eu hunain.

Roedd yr ymgyrch tai haf hefyd yn un bwysig iawn. Bu nifer ohonom yn llenwi tyllau clo y tai efo rhyw fath o blastar, paentio sloganau ar y ffenestri ac yn ddiweddarach yn eistedd i mewn dros nos yn rhai o'r tai. Polisi y Gymdeithas oedd nad oedd dim niwed i gael ei wneud i'r tai, doedd dim cyffwrdd nac ymyrryd ag eiddo y perchnogion chwaith. Mi gymerais i ran mewn be oedd y wasg yn alw yn 'sit-in' mewn tŷ haf yng Nghapel Garmon a Phenmachno. Merch o'r ardal yma a fu yn rhan o weithgareddau y Gymdeithas yn y cyfnod oedd Sydna Owen. Roedd gwrthwynebiad chwyrn i hyn gan y cyhoedd. Doedd bobl ddim yn sylweddoli difrifoldeb y sefyllfa ac yn gweld y Gymdeithas yn creu helynt yn ddi-bwrpas. Roedd y ddau bentref yma yn bentrefi hollol Gymraeg yn enwog am eu diwylliant. Ysgolion pentref Cymraeg llewyrchus yno. Erbyn heddiw mae bron bob tŷ ym Mhenmachno yn dŷ haf.

Alla i ddim dod â hwn i ben heb sôn am deithiau haf y Gymdeithas. Teithiau cerdded ar y cyfan yn mynd o'r De i'r Gogledd. Bobl yn ymuno am rhan o'r daith. Yn mynd adre i'w gwaith, ysgol neu goleg ac yn ail ymuno pan fedrent. Roedd teuluoedd cefnogol yn rhoi llety dros nos a chinio i ni. Roedden yn rhannu taflenni wrth fynd fel bod neges y Gymdeithas yn cyrraedd trefi a phentrefi Cymru. Roedd cyfle i siarad efo bobl ac egluro pam roedd y Gymdeithas yn gweithredu. Yn y trefi mwy roedd ralïau yn ystod y dydd a 'gigs' gyda'r nos a phobl ifanc leol yn cael cyfle i glywed y bandiau Cymraeg. Roedd y teithiau yma yn llawer o hwyl i ni fel aelodau ifanc ac yn gyfle i weld ardaloedd newydd o Gymru a chlywed acenion Cymraeg newydd. Roedd yn gyfnod pan roedd tafodieithoedd gwahanol ardaloedd yn gyffredin ar wefusau bobl ac iaith Gymraeg bur y bobl hŷn yn werth ei chlywed yn y pentrefi bach. Fy nghwmni yn aml ar y teithiau yma oedd fy ffrindiau o adref Bronwen Evans o Garmel, Treffynnon ac Anwen Roberts

Bronwen Evans ac Anwen Roberts yn rhannu taflenni Cymdeithas yr Iaith

o Lysfaen. Dwy a roddodd lawer o'u hamser i frwydr yr iaith am flynyddoedd wedyn. Y ddwy wedi ein gadael erbyn hyn. Mi rydw i'n falch o gael cyfle i dalu teyrnged iddyn nhw.

Cyfeillion eraill roeddwn yn cerdded a theithio efo nhw oedd Enfys a Meinir, dwy a dreuliodd amser yn y carchar yn ddiweddarach. Rydw i'n gobeithio darllen atgofion Meinir mewn cyfrol ganddi hi ei hun rhyw ddiwrnod. Roedd llawer o hwyl a chwerthin. Bu gen i ddau hen gar yn y cyfnod yma. Morris 2000 oedd y ddau. Tebot 1 ac wedyn Tebot 2. Roedd Tebot 2 fymryn yn well na Tebot 1 ond roedd natur torri i lawr arno. Roedd hyn yn gallu bod nid yn unig yn anghyfleus ond yn beryglus hefyd, gan fod y car yn cael ei ddefnyddio weithiau i symud pethau o le i le. Pethau fel arwyddion oedd wedi cael eu tynnu ac ar un achlysur, 'y Ceiliog', sef radio anghyfreithlon. Diwedd y car fu iddo fynd ar dân. Roedd cymaint o bobl wedi trio ei drwsio ar wahanol adegau ac wedi ffidlan efo'r gwifrau nes y penderfynodd y Tebot mai digon yw digon.

Mae'n werth sôn yma i Meinir a finnau alw heibio Caio Evans pan oedden ni ar un o'r teithiau. Roedd Meinir yn gwybod lle roedd yn byw ac roedden ni'n pasio yn agos. Doedden ni ddim yn siŵr sut groeso y byddem yn ei gael ac anodd ydy galw ar berson heb rybudd. Roedd yn byw mewn tŷ dipyn o faint ar ddiwedd dreif hir. Pan welodd y car yn dod daeth allan i weld pwy oedd yno. Roedd yn amlwg nad oedd yn cael llawer o ymwelwyr. Cawsom groeso arbennig ganddo. Roedd yn falch, medde fo, ein bod wedi meddwl amdano. Mi eisteddon ni i lawr a chael sgwrs a dweud hanes y teithiau, a chafodd dipyn o daflenni ganddon ni. Gŵr golygus, bonheddig a gafodd gam. Roeddwn mor falch o fod wedi cael y cyfle i'w gyfarfod.

Roedd y teithio yma yn ffordd dda i wneud ffrindiau newydd hefyd. Rhai ddois i i'w nabod oedd Moelwen Gwyndaf a'i chwaer annwyl, Gwawr. Mae Gwawr wedi ein gadael yn llawer rhy fuan. Cofiwn am yr amser a roddodd i weithgareddau'r Gymdeithas. Hefyd Alwen Castell-nedd. Cefais aros yng nghartref Alwen a'i brawd ar un o'r teithiau. Mae Alwen wedi ein gadael yn ifanc hefyd, ond mae'n un a gyfrannodd i frwydr yr iaith am flynyddoedd. Un arall wnes i aros yn ei chartref yn Rachub ar un o'r teithiau oedd Mary, a ddaeth yn Mary Capel Garmon yn ddiweddarach. Mae Mary a finnau yn ffrindiau hyd heddiw.

Person a fu'n gydymaith teithio difyr oedd Meg Elis. Ro'n i'n nabod Meg o gyfnod coleg ym Mangor ac fe wnaethom dipyn o brotestio ac ymgyrchu efo'n gilydd. Ar ran o un daith roedd Meg a finnau yn aros mewn ffermdy yn ardal y Bala – efallai mai yn y Parc roedden ni. Roedden ni y merched yn rhannu ystafell wely yn aml ac weithiau yn rhannu gwely. Roedden ni wedi cerdded milltiroedd y diwrnod hwnnw ac angen cerdded milltiroedd y diwrnod wedyn. Roddwn wedi blino yn ofnadwy ac eisiau cysgu ond wnâi Meg ddim diffodd y golau. Roedd hi'n ysgrifennu dyddiadur bob nos yn ffyddlon, dim ots pa mor flinedig oedd hi. Rydw i'n edrych ymlaen at weld y dyddiadur yma a achosodd i mi golli cwsg mewn print rhyw ddiwrnod.

Rhaid i mi ymddiheuro i ferched na wnes i eu cynnwys yma. Mae llawer o wynebau na fedraf gofio'u henwau.

Roedd cyfraniad y merched i ymgyrchoedd y Gymdeithas yn y saithdegau yn werthfawr iawn. Roedd merched yn y mwyafrif yn protestio yn y llysoedd ac yn gorymdeithio, a llawer hefyd yn troseddu ac yn wynebu achosion llys a charchar. Fel y soniais ar y dechrau, gallai fod yn anodd wynebu cael eich brifo. Roedd cael eu cloi mewn cell yn effeithio yn wahanol ar bobl, a charchar yn arbennig. Yn aml roedd yn anodd i rai gael gwaith ar ôl bod yn y carchar, ac roedd hyn yn straen ar deuluoedd ifanc. Mi oedd yna ddioddef ac mi oedd yna aberth. Hefyd, gallai'r ffaith eich bod wedi bod yn aelod gweithgar o'r Gymdeithas fod yn staen ar eich cymeriad ar hyd eich oes. Roedd rhai yn edliw am flynyddoedd lawer ac yn datgan eu bod yn well Cymry na rhai o aelodau'r Gymdeithas a'u bod nhw wedi cyfrannu mwy at Gymru. Efallai fod hyn yn wir, ond nid pawb oedd yn fodlon nac yn ddigon dewr i dderbyn y sialens a

Meg Elis, Achos Blaenplwyf, Caerfyrddin 1978

gynigiwyd gan y Gymdeithas.

Mi lwyddodd Cymdeithas yr Iaith i ddarogan beth oedd yn mynd i ddigwydd yng Nghymru yn y dyfodol a cheisio dal pethau yn ôl ac ennill amser. Roedd hi'n Gymru lle roedd y Gymraeg yn fyw ar wefusau pobl, lle roedd nifer yr ysgolion cyfrwng Cymraeg yn tyfu, ond doedd dim statws i'r iaith. Doedd dim llawer o Gymraeg yn cael ei ddysgu yn yr ysgolion nad oeddent yn gyfrwng Cymraeg. Doedd y Gymraeg ddim yn weledol ar arwyddion nac yn unman. Doedd dim sianel deledu na radio Gymraeg. Roedd nifer y tai haf yn tyfu ac roedd y gorlifiad o bobl o'r ochr arall i'r ffin yn dechrau mynd yn broblem. Roedd llawer i'w wneud ac fe lwyddon nhw mewn llawer maes.

Rydw i'n teimlo yn hynod o ffodus fy mod yn ifanc yn y cyfnod yma ac wedi cael y profiad arbennig o fod yn rhan o frwydr yr iaith.

# Ifanwy Rhisiart

Rhywsut rywfodd roeddwn i'n aelod diarwybod o Gymdeithas yr Iaith cyn iddi erioed gael ei sefydlu. Yn hogan fach tua phedair oed rwy'n cofio bod yn nhŷ Nain ym Metws Garmon ac Arthur, fy ewythr, wrth glywed fy nain yn siarad â'r ddynes drws nesa, yn dweud, "Clyw dy nain yn siarad Saesneg hefo Mrs Smith. Mrs Smith ddylai siarad Cymraeg hefo dy nain." Aeth ymlaen i ddweud fod y Gymraeg yn hŷn o lawer na'r Saesneg. Doeddwn i ddim yn deall rhywbeth haniaethol fel yna a bûm am yn hir iawn wedyn yn pondro sut oedd hynny'n bod.

Yna eto ym Metws Garmon yn y pumdegau cynnar yn gwylio gafr wyllt oedd wedi crwydro yn isel iawn i lawr llethrau'r Mynyddfawr, a'r un un Arthur yn dweud yn bryderus fod yr afr yna yn afr ddrwg. Ei gwaith oedd diogelu ogof Owain Glyndŵr oedd yn uchel i fyny ar y mynydd a dyna hi wedi esgeuluso ei dyletswydd. Aeth ymlaen i ddweud ei fersiwn arbennig o hanes Owain Glyndŵr.

Yna adref yn Waunfawr, ychydig flynyddoedd yn ddiweddarach, wrth y tân yn y gegin yn gwrando hefo fy mam ar ganlyniadau etholiad. Llafur yn ennill bron pob sedd gyda mwyafrif anferth a Phlaid Cymru yn dod yn olaf bron ym mhob un. A'r hyn oedd yn mynd i'm calon er nad oeddwn yn deall ei ystyr oedd y frawddeg ar ôl pob un, 'Plaid Cymru yn colli'r ernes'. Roedd o'n ormod i mi a beichiais grio, a dyma Mam yn fy nghysuro drwy ddweud y byddai'r Blaid yn siŵr o ennill ryw ddydd a hi wedyn fyddai'r blaid fawr. Dim rhyfedd i dair merch fy mam, Mari, Catrin a finnau, ffeindio'r ffordd a'n harweiniodd i garchar.

Ar ôl gadael ysgol roeddwn yn gweithio fel clerc yn Siop y Nelson yng Nghaernarfon, siop fwyaf y dref. Un o'm dyletswyddau oedd ateb y ffôn ac wrth reswm, yng Nghaernarfon o bob man, gwnawn hynny yn Gymraeg gan droi i'r Saesneg pan oedd rhaid. Cymro

Cymraeg o Forfa Nefyn yn wreiddiol, os cofiaf yn iawn, oedd y rheolwr, er na chlywais mohono erioed yn siarad Cymraeg. Un bore taranodd i mewn i'r swyddfa a'i wyneb yn goch gan ddweud, "This nonsense must stop!" Rhybuddiodd fi fod yn rhaid i mi ateb y ffôn o hyn ymlaen yn Saesneg, ac os na wnawn byddai'n rhaid iddo fy sacio. Cofiaf fy mod wedi dychryn – roedd defnyddio fy iaith fy hun mewn tref Gymraeg ei hiaith a gyda mwyafrif llethol y cwsmeriaid hefyd yn Gymry Cymraeg y peth mwyaf naturiol i'w wneud yn fy meddwl i. Ni chymrodd fawr i mi feddwl dros y peth. Codais oddi wrth fy nesg a mynd i'w swyddfa a dweud wrtho fod yr hyn a ofynnai ddim yn deg. Ni fedrwn ufuddhau, felly doedd gen i ddim dewis ond cerdded allan.

Yn fuan wedyn ymunais yn ffurfiol â Chymdeithas yr Iaith, ac mae'r llythyr a gefais gan Gareth Miles yn cadarnhau fy aelodaeth ac yn fy nghroesawu'n gynnes i'r Gymdeithas gen i o hyd. Roedd yn gallu bod yn brofiad unig ar adegau – deuwn ar draws agwedd wrth-Gymreig yn aml iawn hyd yn oed yng nghymdeithas uniaith Gymraeg Waunfawr. Roedd nifer o fy nghyd-aelodau yn perthyn i gelloedd yn y coleg ac yn gallu mwynhau cwmnïaeth a chefnogaeth ei gilydd, ac roeddwn innau tu allan i hynny. Ond roedd yr achos ei hun mor fawr a phwysig fel bod rhywun yn gallu goresgyn y teimladau hyn.

Y gwir yw bod y blynyddoedd cynnar yna drwy'r saithdegau a dechrau'r wythdegau wedi lliwio fy mywyd. Roedd bywyd tu allan i oriau gwaith yn llawn o gyfarfodydd, ralïau a phrotestiadau ac yna roedd y cyngherddau a'r disgos (brensiach, sy'n swnio'n hen ffasiwn rŵan!). Roedd pob un ohonynt ar y pryd yn andros o bwysig. Roeddwn yn ymwybodol fy mod â rhan mewn mudiad oedd â'r grym a'r gallu i newid statws a chyflwr yr iaith er gwell.

Er yr holl gyffro a hwyl y frwydr roedd yna adegau pan oedd realiti yn fy hitio. Yr arestio a'r gwahanol gelloedd budr mewn sawl gorsaf heddlu drwy ogledd Cymru. Y rhai gwaethaf oedd rhai Caernarfon. Rwy'n dal i gofio'r fatres rwber oren honno a hen daflu i fyny wedi crempio drosti ac oglau hwnnw a phethau eraill, mae'n well peidio dyfalu amdanynt, yn peri i minnau daflu i fyny.

Nid oeddwn i, oherwydd fy mod yn ferch, yn cael fy nhrin yn fwynach gan yr heddlu. Cefais anaf i'm braich wrth i blismon ei gwthio hi tu ôl i'm cefn nes bod y penelin yn cyrraedd fy ngwddw. Fy arwain i roedd o ar hyd coridor hir i'r ystafell olion bysedd. Wedi cyrraedd yno, methodd y swyddog oedd yn gyfrifol am wneud y printiadau gael rhai digon clir. Doedd o ddim yn gafael yn ddigon cryf yn fy mysedd i, meddai'r plismon, a dyma fo'n sydyn yn gafael yn fy mys a bron â'i dynnu o'i wraidd. Fel yna roedd eisio gwneud, meddai fo. Yn y diwedd cafwyd print o'r wyth bys a'r ddau fawd ac roedd rhaid i mi arwyddo mai fy olion i oeddynt. Ond wedi'r holl drafferth dyma fi'n sylwi mai uniaith Saesneg oedd y ffurflen, ac felly cefais y pleser mawr o wrthod ei llenwi. Buddugoliaeth fach am y boen fawr oedd yn dal yn fy mraich. Un digwyddiad bach, fel enghraifft, yw hynna. Enghraifft arall oedd beth ddigwyddodd i Mari, fy chwaer. Roedd hi'n protestio tu allan i Lys y Goron, eto yng Nghaernarfon, ac yn eistedd ar ris ucha'r stepiau oedd yn arwain at ddrws y llys. Cafodd gic hegar yng nghanol ei chefn gan blismon. Roedd ôl ei droed ar ei chefn am ddyddiau cyn iddo droi yn glais.

Ddwywaith y bûm i yng ngharchar. I Risley (*grisly Risley*) yr es i y ddau dro, a theimlaf fy mod wedi bod yn hynod o ffodus. Y tro cyntaf ces gwmni Catrin, fy chwaer, a chael rhannu cell hefo hi. Roedd ei dedfryd hi yn hirach na fy un i ac roedd gadael y carchar a'i gadael hi ar ôl yn brofiad chwerw iawn: buasai'n well gen i fod wedi aros yno hefo hi. Yr ail dro ces gwmni fy ffrind Angharad – ni fedrwn fod wedi cael gwell cwmni. Ein hunig bryder oedd y byddem yn cael ein gwahanu. Cawsom sawl profiad dwys a digri. Un oedd yn y 'work-room' pan ddaeth criw bach o ynadon â'u trwynau i mewn. Roedden nhw'n un clwstwr bach ofnus wrth y drws yn rhythu arnom fel pe baem yn anifeiliaid mewn sw. Roedd y wardeniaid oedd yn ein gwarchod wedi ein siarsio ymlaen llaw i godi, i ddangos parch, pan ddeuent i mewn. Doedd gan Angharad na finnau barch tuag at ynadon ar y pryd, yr union bobl oedd yn gyfrifol am ein hanfon i garchar. Felly fe wnaethom benderfynu peidio codi. Bu'n rhaid i'r ddwy ohonom fynd o flaen y llywodraethwr y bore canlynol a chael llith am ein hyfdra a'n diffyg parch, a'r bygythiad o ymestyn ein dedfryd pe bai unrhyw beth o'r fath yn codi eto.

Gwnaeth bod yn garcharor fi, rwy'n siŵr, yn well person gyda gwell dealltwriaeth o realiti bywyd i'r mwyafrif o'r carcharorion. Gwn bellach mai tlodi a chaledi bywyd sydd wedi arwain y mwyafrif llethol i garchar, ac nad ydi carchar yn cyfrannu dim at wella amgylchiadau'r unigolyn na chymdeithas. Dyw geiriau fel 'diolch', 'os gwelwch yn dda' neu 'mae'n ddrwg gen i' ddim i'w clywed mewn carchar. Yn sicr, chlywais i mohonynt yn Risley.

Hefyd roeddwn yn hynod o ffodus o gefnogaeth fy nheulu drwy'r cyfan. Yn wahanol i sawl aelod arall o'r Gymdeithas, doedd gen i byth ofn ffonio adra i ddweud 'mod i wedi cael fy arestio ac yn sicr, doedd gan fy mam ddim cywilydd o weithredoedd y tair ohonom. Sawl tro dywedodd y byddai hi hefo ni petai hi'n fengach. Hyn er bod rhai pobl yn ein pentre ni yn edliw iddi, yn dweud pethau cas, neu'n troi cefn arni yn fwriadol ar y bws neu'r stryd. Ond roedd yna nifer yn hynod o garedig ac ystyriol a chawsom ein tair, a Mam hefyd, lu o lythyrau a dymuniadau da gan ffrindiau a chymdogion. Cyfeiriaf at un gan ei fod gan Anti Katie – Anti oedd ei theitl annwyl gan bobl y Waun, ond roedd hi'n fodryb go iawn i Dylan (o'r ddeuawd Dylan a Neil). Roedd Dylan bryd hynny yn forwr ac yn teithio'r byd, a phan ddeuai adra byddai'n dod â llu o gardiau post i'w fodryb i ddangos y llefydd rhyfeddol roedd o wedi eu gweld. Er mwyn dangos i awdurdodau'r carchar mai nid rhywun rywun oedd Catrin a finnau, anfonodd Anti Katie gerdyn atom hefo llun llachar o Singapore arno. Roedd hi'n sgwennu ei phwt yn ei Saesneg Cymreigaidd gora, yn smalio ei bod hi ar wyliau yn Singapore ac yn anfon ei chofion atom gan obeithio fod y carchar yn sylweddoli dwy mor rhinweddol oeddem ni. Dweud hefyd iddi fynd i'r capel yn y Waun cyn cychwyn ar ei gwyliau a bod y gweinidog a'r gynulleidfa wedi gweddïo drosom, a'i bod yn warthus fod dwy o'r fath 'gymeriad da' mewn carchar. Ei bwriad diniwed oedd y byddai'r carchar yn ein trin ni'n well gan fod rhywun cyfoethog fel hi yn sgwennu mor dda amdanom. Ond doedd hi ddim yn sylweddoli fod y marc post yn dangos yn glir mai yn Waunfawr bell y postiwyd o!

Erbyn heddiw, mae sawl brwydr wedi ei hennill. Yn sicr, mae statws a safle'r Gymraeg yn llawer sicrach ac mae hi bellach yn weledol hy' ym mhobman. Er ei statws cryfach, gwanhau mae hi yn ein cymunedau a byddaf yn digalonni yn aml wrth deithio'r fro ar y bws. Ond mae gan fy nith ddau o blant bach, Twm sy'n bedair a hanner a Siwan sy'n flwydd a hanner. Mae Twm yn ychwanegu gair newydd bron bob dydd at ei storfa helaeth o eiriau sydd, hyd yn hyn, i gyd yn Gymraeg. Mae geiriau cynta Siwan yn dechrau ffurfio ar ei thafod ac ia, Cymraeg ydyn nhwythau hefyd. Oes, mae pwrpas a gobaith i'r frwydr ddiddiwedd dros yr iaith.

# Meinir Ffransis

Roedd fy ngweithred tor cyfraith gyntaf i, sef meddiannu Llys Ynadon Aberystwyth gyda chriw o fyfyrwyr eraill fel protest i dynnu sylw at garchariad Dafydd Iwan, yn achos nerfusrwydd mawr a lot fawr o bendroni. Roeddwn i mewn sefyllfa unigryw gan fod fy nhad (Gwynfor Evans) yn Aelod Seneddol, ac ro'n i'n ymwybodol iawn y gallai ei elynion gwleidyddol ddefnyddio fy ngweithredu i i niweidio ei obeithion etholiadol. Ond ro'n i hefyd yn ifanc ac yn teimlo i'r byw am yr anghyfiawnder a oedd yn corddi cynifer ohonom; yn teimlo i'r byw fod ein hiaith a'n diwylliant yn wynebu difancoll.

I raddau hefyd, gallwn weld fod fy safle i o bosib yn gallu dwyn mwy o sylw at yr achos. Agwedd ddeublyg ac anghyson o bosibl: ar y naill law yn gofyn i'r trefnwyr geisio cadw fy enw i mas o'r cyfryngau rhag i mi wneud drwg i fy nhad, ac ar y llaw arall yn teimlo'r rheidrwydd i weithredu, ac yn 'defnyddio' statws fy nhad i gael mwy o gyhoeddusrwydd.

Roedd yn gysur i mi hefyd i wybod fod fy rhieni yn ymfalchïo yn y ffaith fod cynifer o bobl ifanc colegau Cymru a thu fas (gan gynnwys eu plant eu hunain) yn gweithredu dros ddyfodol i'n gwerthoedd fel cenedl. Cysur arall oedd gwybod fod fy nhad yntau wedi gweithredu'n uniongyrchol dros heddychiaeth a dyfodol Cymru ac wedi bod yn barod i wynebu carchar dros ei ddaliadau. Roedd e hefyd wedi achosi poendod a gofid i'w rieni trwy ei weithredoedd yn gwrthwynebu yr Ail Ryfel Byd. Difrodwyd faniau siop fy nhad-cu yn y Barri a llosgwyd warws y fusnes oherwydd safiad pasiffistaidd fy nhad. Felly, roeddwn i'n lwcus iawn i wybod fod fy nheulu yn gefn i mi, ac er y gallai fy ngweithredu tor cyfraith achosi embaras i fy nhad gwyddwn na fyddai byth yn fy niarddel na hyd yn oed yn dweud wrthyf am roi'r gorau i weithredu.

Mor wahanol oedd profiadau nifer o fy nghyd-ymgyrchwyr, ac yn arbennig rai o'r merched. Roedd pob un ohonom oedd â rhieni cefnogol yn teimlo'n freintiedig iawn. Fe wnes i rannu protest a chell gyda mwy nag un ferch oedd yn dweud fod eu teulu yn eu cyhuddo o ddwyn gwarth arnynt, a hyd yn oed ambell un oedd yn cael ei chosbi'n gorfforol. Pan o'n i yn y carchar ro'n i'n cael cannoedd o lythyrau cefnogol (yn ogystal ag ambell un ymosodol) gan gynnwys rhai oddi wrth bobl yn fy nghymuned, megis fy ngweinidog a ffrindiau'r teulu. Wrth fynd adre i Langadog dwi ddim yn cofio wynebu unrhyw atgasedd na hyd yn oed feirniadaeth i fy wyneb. Mae pobl Sir Gaerfyrddin yn enwog am eu rhadlonrwydd a'u caredigrwydd, ac er fy mod yn gwybod yn iawn fod nifer o fy nghymdogion yn anghymeradwyo'r gweithredu tor cyfraith a'r carchariadau, ni fyddent byth yn gas wrthyf yn bersonol. Serch hynny, derbyniodd fy nhad a finnau gannoedd o lythyrau cas iawn, rhai yn ffiaidd, oddi wrth bobl ar draws Prydain a thu hwnt. Mae nifer o'r llythyrau cefnogol a rhai gwrthwynebus yn dal yn fy meddiant.

Toriadau yn dangos Meinir mewn protest yn yr Uchel Lys yn 1970 – dwy enghraifft o'r ohebiaeth wrthwynebus a dderbyniodd Meinir a'i thad, Gwynfor Evans AS

Unwaith roeddwn i wedi dal y 'byg' i weithredu, ac wedi sylweddoli fod y gweithredu a'r carchariadau yn esgor ar gonsesiynau pwysig i greu cymdeithas fwy cyfiawn, roedd yn rhaid i mi barhau. Roedd hyn yn gymharol hawdd pan nad oedd gennyf gyfrifoldebau a bod y fath gwmnïaeth gydnaws yn cydfrwydro gyda mi. Cymerais ran mewn nifer o weithredoedd tor cyfraith a arweiniodd at garchar fwy nag unwaith. Bu sawl tro trwstan, sawl tro doniol a sawl digwyddiad emosiynol wrth drefnu a chymryd rhan yn yr ymgyrchoedd. Bu canu a chwerthin ar y gorymdeithiau trwy Gymru, a chyd-ddioddef hefyd y poenau corfforol wrth gerdded milltiroedd ac wrth gael ymateb treisiol weithiau gan yr heddlu. Profiad anodd ac annymunol oedd bod yng ngharchar, yn arbennig pan nad oedd hawl gennym siarad Cymraeg gyda'n teuluoedd a'n ffrindiau pan oedden nhw'n ymweld – fel y digwyddodd i nifer ohonon ni'r merched yng ngharchar Pucklechurch ger Bryste. Ond roedd cwmni'r merched ffantastig gennyf bob tro yn ystod y 1970au, a oedd yn ysgafnhau'r profiad a'i wneud yn haws i'w oddef. Roedd cyfiawnder yr achos a'r gefnogaeth enfawr o Gymru yn cyfoethogi'r profiad hefyd. Roeddwn yn ifanc, yn ddigyfrifoldeb ac yn llawn brwdfrydedd dros gyfiawnder ein hachos. Hefyd, yn bragmataidd, gallwn weld fod y gweithredu tor cyfraith yn dwyn y maen i'r wal ar sawl achlysur ac yn arwain at ganlyniadau cadarnhaol i'r Gymraeg. Gwelwn (ac rwy'n dal i weld) ein brwydr ni fel rhan o'r frwydr fyd-eang dros gyfiawnder; gweithredu'n lleol y frwydr fyd-eang. Gallwn uniaethu gyda brwydrau y bobl dduon yn America a'r ieuenctid ledled y byd oedd yn protestio yn erbyn rhyfel America yn Fietnam. Ar wal fy ystafell yn y coleg roedd posteri anferth o Martin Luther King, Ho Chi Minh a Che Guevara (achos bod e mor bert!), a'r rhain, ynghyd â Paul McCartney a'r Beatles, oedd fy arwyr – a Dafydd Iwan wrth gwrs!

Roedd cyffro yn yr awyr a gallwn adleisio geiriau Wordsworth, 'Bliss was it in that dawn to be alive,/ But to be young was very heaven!' (am y Chwyldro Ffrengig). Roedd criw mawr ohonom, yn ferched a bechgyn, yn rhannu'r un gobaith ac yn teimlo weithie ein bod yn gallu newid y byd! Mae'r cyd-ymgyrchwyr o'r cyfnod hwnnw yn parhau yn ffrindiau heddi ac yn parhau i rannu'r un delfrydau. Braf yw hel atgofion ambell waith fel y gwnaethom yn ddiweddar gydag Enfys a'i merch Gwenllian.

# Leah Owen

## Ar Radio 2

Roedd yr ymgyrch i gael sianel deledu Gymraeg yn ei hanterth ddechrau'r saithdegau, a bu sawl cyfarfod i drefnu protestiadau. Roedd hi'n nesu at Fawrth y cyntaf a threfnwyd bod criw mawr ohonon ni'n mynd i Landudno i dorri ar draws rhaglen Pete Murray, *Open House*, a oedd yn rhaglen boblogaidd iawn ar y pryd ar Radio 2, ac a oedd i gael ei darlledu'n fyw o Gymru ar Ddydd Gŵyl Dewi.

Tra oedden ni'n ciwio i fynd i mewn i'r theatr yn Llandudno, roedd hi'n amlwg fod nifer o heddlu cudd yno, ac mi ddywedodd Ann Hopcyn, fy ffrind, wrtha i'n ddistaw bach y byddai'n syniad i ni'n dwy siarad Saesneg efo'n gilydd er mwyn ceisio'u twyllo. Rhwystrwyd gweddill aelodau'r Gymdeithas rhag mynd i mewn, ond doedden ni ddim yn wynebau cyfarwydd; o ganlyniad, cafodd Ann a fi fynediad didrafferth wrth sgwrsio yn ein Saesneg crand. Dyma ddod o hyd i sedd yn y theatr fawr, oedd dan ei sang o bobl yn ysu am gael cyfarfod y dyn ei hun, Pete Murray.

Wedi i ni'n dwy frolio'n gilydd am fedru cael mynediad, dyma sylweddoli y byddai'n rhaid i ni wneud rhywbeth ar ran y Gymdeithas i dynnu sylw at ein hymgyrch i gael sianel deledu Gymraeg. Ond doedden ni 'rioed wedi gwneud y fath beth o'r blaen! Fedren ni ddim eistedd yno heb wneud neu ddweud rhywbeth yn ystod y rhaglen fyw!

Mi ddechreuodd y rhaglen ac mi sylwon ni fod Pete Murray'n gwahodd cyplau i fynd ar y llwyfan bob hyn a hyn i gymryd rhan mewn rhyw gystadlaethau. Dyma benderfynu, felly, y tro nesa y byddai o'n gwahodd cwpwl ymlaen, y bydden ni'n dwy'n codi ac yn cerdded i'r llwyfan. Yn ystod y gân, roedd fy nghalon i'n curo fel gordd ond ro'n i'n benderfynol, hefyd, 'mod i am wneud fy rhan dros y Gymdeithas.

Daeth y gân i ben a dyma ni'n dwy'n codi a cherddded yn hamddenol i fyny i'r llwyfan. Dyma wenu'n ddel ar Pete Murray, gafael yn ei feicroffon a bloeddio "Sianel Gymraeg yn awr! Sianel Gymraeg yn awr!" Doedd y dyn druan ddim yn gwybod be oedd yn digwydd. Rhuthrodd nifer o heddlu cudd i'r llwyfan a'n llusgo i lawr drwy'r gynulleidfa. Roedd llawer o hen ferchaid yn ein labio efo'u bagiau llaw ac yn gweiddi geiriau anweddus arnon ni. Lluchiwyd ni allan fel dwy sach o datws ar y pafin i floeddiadau cefnogol gweddill y criw, a oedd wedi clywed y cyfan yn fyw ar y radio.

NORTH WALES WEEKLY NEWS

**Demonstrations fail to disrupt 'Open House'**

Erthygl am weithred Leah Owen yn y *North Wales Weekly News*, 8 Mawrth 1973 (llun: North Wales Weekly News / Reach Licensing)

Daily Mail, Friday, March 2, 1973

**When rebels called on Open House**

MILLIONS HEAR WELSH SLOGANS

WELSH language rebels forced their way into Peter Murray's *Open House* request show on Radio Two yesterday.

They grabbed microphones and chanted Welsh slogans over the air to more than nine million listeners.

Earlier they succeeded in blacking out 15 seconds of the show soon after it began.

Their precision-planned protest came at Llandudno's Pier Pavilion Theatre at a special 'on the road' show to celebrate St David's Day.

Police reinforcements had been pulled into the seaside town to counter any attacks—but a band of over 30 Welsh Language Society members outwitted them.

First they knocked down two policemen guarding a mobile unit outside the theatre and unplugged Frank Sinatra half-way through *Come Fly With Me*.

Then two girls charged on the stage as Peter Murray was talking to Man-[illegible] golf professional Peter MacGuinness, 35, and his 24-year-old Welsh-born wife Nerys who were on honeymoon.

Before police and security men could eject them the girls had grabbed microphones and shouted 'Welsh channel now' in Welsh.

Later Peter Murray said: 'We were half expecting trouble. If anything it livened the show up and at least they got themselves on the air.'

**Wrecking**

At Newcastle upon Tyne, three Bangor students were remanded on bail yesterday charged with trespassing at Tyne-Tees TV studios.

In Plymouth, three members of the society were arrested after wrecking an office of the local BBC studios.

And in Manchester, three Aberystwyth University students were remanded in custody charged with breaking into BBC premises at Longsight.

Erthygl yn y *Daily Mail* am weithred Leah Owen, 2 Mawrth 1973 (llun: Daily Mail / DMG Media Licensing)

Roedden ni'n dwy wedi'u plesio nhw, o leia, ac ro'n i'n teimlo 'mod i wedi gwneud rhywbeth o werth dros fy ngwlad, er mai gweithred fechan oedd hi.

Yn y *Daily Mail* y bore wedyn, roedd pennawd mawr: 'When rebels called on Open House' a 'Millions hear Welsh slogans'. Roedd llun o'r ddwy ohonon ni'n cael ein llusgo drwy'r gynulleidfa gan chwe heddwas. Mewn difri, oedd angen chwech ohonyn nhw i gario dwy ferch ifanc ysgafn?

**Ar y Mast**

Roedd y brotest wedi fy neffro i ac wedi gwneud i mi sylweddoli fod cymaint mwy y gallwn i ei wneud dros yr iaith, felly, dyma ddechrau cynllunio at y brotest nesa. Y bwriad oedd torri i mewn i orsaf trosglwyddydd Nebo, ger Penygroes, a diffodd y cysylltiad fel bod cartrefi'r gogledd yn colli sain a llun eu teledu. Bu naw ohonon ni'n cyfarfod i gynllwynio'r weithred am fisoedd ymlaen llaw, gan geisio sicrhau na fyddai canlyniad ein gweithred yn peryglu bywyd unrhyw un. Y naw oedd Nia Edwards, Carys Price, Arfon Wyn, John Glyn, David Roberts, Keith Williams, Dafydd Owen, Eifion Williams a finna.

Roedd hi'n ddiwedd tymor y coleg ym mis Mawrth pan aethon ni draw i Nebo yn hwyr y nos a thorri i mewn i'r trosglwyddydd. Digwyddodd popeth yn union fel roedden ni wedi'i gynllunio, ac mi gysyllton ni â'r heddlu'n syth i ddweud ein bod ni wedi gweithredu. Wedyn mi gawson ni'n cludo i lawr i swyddfa'r heddlu yng Nghaernarfon i gael ein holi ac i gymryd olion ein bysedd.

Roedd y profiad yma'n ddiarth iawn i mi, ond eto, ro'n i'n falch 'mod i wedi bod yn rhan o'r weithred. Wrth gwrs, bu achos llys ac mi gafodd y naw ohonon ni ddirwy a chostau am falurio drws yr adeilad wrth dorri i mewn iddo. Wn i ddim hyd heddiw pwy, ond mi dalodd rhywun fy nirwy. Mi sicrhaodd fy rhieni fi nad y nhw wnaeth.

Daeth nifer o gefnogwyr y Gymdeithas i'r llys y diwrnod hwnnw, ac yn ôl yr arfer, mi ddechreuodd pawb ganu'r anthem genedlaethol

Holyhead + Anglesey Mail.

# Nine accused of raid on television station

ABOUT a hundred members of the Welsh Language Society sang the Welsh National Anthem outside the County Hall. Caernarvon, on Thursday morning after the magistrates' court adjourned charges against nine of their colleagues on charges arising from incidents at the Nebo, Llanllyfni, I.T.A. Station, on March 28.

The nine, all young people, including three girls, appeared on charges of burglary with intent at the Arfon I.T.A. Television Station; doing damage to [illegible]

I.T.A. property valued £28, and interfering with aircraft navigational lights.

The defendants were not legally represented, and the bench decided to adjourn the case for a month to enable them to be legally represented.

tion in a month's time. All the defendants were bound over in the sum of £25 each to appear before the court on May 17.

Extra police were on duty inside and outside the court, but there were no incidents and the crowd dispersed quietly, after the National Anthem, led by Dafydd Iwan, was sung.

The nine accused are: Nia Edwards, Dolydd, Rhosmeirch, Llangefni; Arfon Wyn Humphries, 34 Y Wern, Llanfair P.G.; Leah Owen, Tremarfon, Rhosmeirch, Llangefni; John Glyn Jones, Delwyn, Lon y Bryn, Bangor; David William Roberts, 40 Tor Onnen, Coed Mawr, Bangor; Keith Wyn Williams, Berwyn, Upper Garth Road, Bangor; Dafydd Owen, Llys Petr, High Street, Penygroes; Carys Price, Gwynfa, Penygroes, and Elfion Wyn Williams, 4 Bryn Llan, Llandwrog.

One of the defendants, however, said that as far as they, the defendants, were concerned there would be no change in the posi-

## Language society case is adjourned

NINE Welsh Language society members, who face charges of burglary, causing criminal damage and interfering with aircraft warning lights at the Nebo TV transmitter last month appeared at Caernarvon magistrates court on Thursday and had their case adjourned for a month.

The nine are: Nia Edwards of Dolwydd, Rhosmeirch, Llangefni; Arfon Wyn Humphries, Y Wern, Llanfair P.G.; Leah Owen, Tremarfon, Rhosmeirch; John Glyn Jones, Delwyn, Lon - y - Bryn, Bangor; David William Roberts, of Tor Onnen, Coed Mawr, Bangor; Keith Wyn Williams, Berwyn, Upper Garth Road, Bangor; Dafydd Owen, Llys Petr, High Street, Penygroes; Carys Price, of Gwynfa, Penygroes, and Eifion Wyn Williams, Bryn Llan, Llandwrog, Caerns.

They face charges of burglary with intent at the TV station on March 28; causing £28 worth of damage to property at the mast and thirdly interfering with aircraft warning lights. All the offences are alleged to have taken place on March 28.

At Thursday's hearing they were not asked to plead and although no application for an adjournment was made either by the prosecution or the defendants themselves, the magistrates decided that in view of the seriousness of the charge and the possible consequences, it would be advisable for the nine to obtain legal advice.

Erthyglau am achos trosglwyddydd Nebo yn yr *Holyhead and Anglesey Mail*, 1973 (llun: Holyhead and Anglesey Mail / Reach Licensing)

dan arweiniad Dafydd Iwan. Ymunodd pawb yn y canu: yr heddlu, yr ynadon, y cyfreithwyr – pawb, wir, ond y Prif Arolygydd, er iddo yntau sefyll ar ei draed. Bu cryn helynt wedyn o achos y canu yn y llys, a doedd yr Arglwydd Hailsham ddim yn hapus o gwbl pan glywodd yr hanes. Bu pennawd yn y *Daily Express* y diwrnod canlynol: 'Singing JPs start a row'.

# Rhian Williams

Un sobor o sâl ydw i am gofio manylion digwyddiadau, a salach fyth am fedru adrodd yr hanes yn lliwgar a difyr! Felly rhyw atgofion ac argraffiadau digon bras a geir yma! Doeddwn i ddim yn aelod blaenllaw, aelod o'r corws fel petai oeddwn i!

Fedra i ddim cofio yn iawn pryd na pham yn union yr ymunais efo Cymdeithas yr Iaith, ond roedd yn sicr yn ystod fy arddegau cynnar. Rydw i'n cofio sylwi, bron iawn yn reddfol, nad oedd y Gymraeg yn cael ei lle a minnau'n methu deall na chwaith ddiodde yr annhegwch. Rhyw 14 oed oeddwn, debyg, yn herio'r Ffermwyr Ifanc am gynnal cyfarfodydd yn Saesneg. Mae'n siŵr fy mod wedi ymuno efo Cymdeithas yr Iaith tua'r un cyfnod. Roedd yn fudiad oedd i mi yn sefyll dros hawliau, dros ymrymuso er mwyn newid, ac yn gymuned o bobl oedd yn cyd-ddyheu ac yn cydweithio dros gael statws i'r Gymraeg.

Dwi'n cofio fod y rhai oedd yn arwain y mudiad yn bobl roeddwn yn eu hedmygu, ac roedd rhyw barchedig ofn hefyd, oherwydd eu bod yn ymddangos yn fwy deallus a hyderus na fi! Dwi'n meddwl fod y teimlad hwnnw wedi parhau!!

Yr ymgyrchoedd sydd yn sefyll allan yn fy nghof ydy'r ymgyrchoedd arwyddion ffyrdd, yr ymgyrch tai haf ac ymgyrch y Sianel. Cyfnod y saithdegau a'r wythdegau cynnar. Yr ymgyrch arwyddion oedd yr un gyntaf i mi, debyg, ymgyrch oedd yn weledol o fewn y gymdeithas ac un oedd yn symbolaidd bwysig o ran statws cyhoeddus i'r iaith. Roedd gen i a'm cyfnither Falmai geir mini bob un, hi efo un marŵn a finne efo un glas. Bu'r ddau yn handi iawn i yrru o gwmpas Dyffryn Clwyd a Gwynedd i beintio a thynnu arwyddion! Rydw i'n cofio cael fy stopio gan yr heddlu ar ôl bod yn peintio arwyddion yn Nyffryn Clwyd. Er iddyn nhw chwilio welson nhw ddim fod pocedi dwfn drws yr hen fini bach glas yn llawn caniau paent.

Wrth feddwl 'nôl dros ymgyrch y Sianel, yr hyn sydd wedi aros efo fi ydy atgofion am drafodaethau deallus, areithiau ysbrydoledig a thactegau soffistigedig. Mae gen i ryw gof fod pob mast teledu yn cael ei ddringo ar un noson benodol. Dwi'n cofio Gwawr a fi yn cael ein danfon i Nebo a'n helpu dros y ffens cyn ein gadael ni yno wedyn i ddringo'r mast. Er ein bod ein dwy ar yr un cwrs coleg doedden ni ddim yn yr un criw ffrindiau, ond fe gawsom ddigon o gyfle i sgwrsio a dod i nabod ein gilydd y noson honno tan ddaeth yr heddlu gan weiddi, "Dowch i lawr rŵan, genod, 'dach chi wedi gneud eich pwynt rŵan ..." Mae gen i ryw syniad mai ni oedd yr unig ddwy ferch i ddringo mast y noson honno. Ond wn i ddim ydy hynny'n gywir. Y peth ydy, roedd merched a dynion yn chwarae rhan yr un mor bwysig ac amlwg yn y Gymdeithas yn y cyfnod hwnnw, fel sy'n wir o hyd am wn i.

Mae un cyfnod arall yn sefyll allan imi yn hanes mwy diweddar y Gymdeithas, a hwnnw ydy'r trafodaethau o gwmpas y bwrdd rhwng y Gymdeithas a'r gwleidyddion, yn benodol efallai, Ron Davies, adeg datganoli. Nid ymgyrch fel y lleill oedd hon, ond trafodaethau ochr yn ochr a fu'n llwyddiannus wrth newid agwedd a meddyliau rhai pobl allweddol ar y pryd.

Wrth gael y cyfle yma i edrych yn ôl, mae'n debyg fod ymgyrchu dros gyfiawnder yn rhan o psyche llawer ohonom oedd yn aelodau a hynny'n golygu ein bod, mewn sefyllfaoedd eraill, wedi parhau i herio gan fod yn barod i siarad y gwir wrth rai mewn awdurdod (os mai dyna'r aralleiriad gorau o 'speak truth to power'). Rydw i'n meddwl am ffrindiau a chydnabod ledled Cymru imi ddod i'w nabod drwy'r Gymdeithas, nifer fawr ohonynt yn parhau i weithredu mewn gwahanol ffyrdd, yn gymunedol ac yn genedlaethol, er mwyn sicrhau fod y Gymraeg yn ffynnu ac iddi'r statws priodol yn ein gwlad.

# Siân Edwards

Pam ymuno â Chymdeithas yr Iaith? Am 'mod i'n teimlo ychydig yn euog! Doeddwn i ddim yn aelod adeg protest yr Uchel Lys ym 1970, a ninnau wedi cael cymaint o sylw tra oedden ni yn y carchar, a'n croesawu 'nôl i Gymru fel aelodau o Gymdeithas yr Iaith. Nid fi oedd yr unig un – mae gen i ryw gof bod cwpwl ohonom wedi sleifio i mewn i babell y Gymdeithas yn Steddfod Rhydaman yr haf hwnnw i geisio ymaelodi'n dawel! (Mae'n bosib 'mod i wedi ymaelodi yn yr ysgol, dwi wir ddim yn cofio – roeddwn i'n mwynhau darllen *Tafod y Ddraig*, ond mae'n bosib mai 'nhad oedd yn tanysgrifio. Ond yn y coleg, gweithio dros y Blaid oedd y flaenoriaeth – doedd gen i ddim cymaint â hynny i'w ddweud wrth rai o aelodau'r Gymdeithas yn Aberystwyth a oedd, yn fy marn i, yn gwbl anwleidyddol, gan roi'r argraff y byddent yn gwbl hapus i fyw o dan lywodraeth Brydeinig am byth ond bod y llywodraeth honno'n deddfu o blaid y Gymraeg.)

Yn syml iawn, roedden ni'n fyfyrwyr Cymraeg yn Aberystwyth a oedd yn caru'n hiaith (ac roedd Aber yn rhywle lle'r oedd protestio cyson yn digwydd, a llawer o fyfyrwyr jest yn mynd gyda'r llif, mae'n siŵr). Byddai'r gair yn mynd ar led: "Protest heno, bws yn gadael o'r Undeb ar ôl stop tap", a dyna lle byddai 20 neu 30 ohonom yn dal y bws yn ufudd, heb syniad i ble roedden ni'n mynd – i feddiannu rhyw lys ynadon neu'i gilydd dros nos neu, fel yn yr achos yma, i Lundain i gyflawni rhyw 'weithred' (a chael ein hunain yng ngharchar Holloway y noson ganlynol).

**Atgofion penodol am rai ymgyrchoedd**

(i) Yr ymgyrch arwyddion

Cof clir iawn o brotest yr Uchel Lys – dwi ddim yn credu bod llawer ohonom wedi disgwyl tri mis o garchar (er i ni gael ein rhyddhau ar apêl wythnos yn ddiweddarach). Doeddem heb ragweld chwaith y sylw anhygoel a gafodd y weithred ym mhapurau Lloegr, a'r ymateb rhyfeddol yng Nghymru. Cawsom gymaint o lythyron a chardiau yn y carchar nes bod rhaid i mi dreulio awr bob dydd yn helpu i 'sensro' yr ohebiaeth (unig gymhwyster y sensor ei hun oedd iddi dreulio tair blynedd yng Ngholeg Bangor a bod ganddi air neu ddau o Gymraeg a oedd yn ddigon, fel y credai'r awdurdodau, i wneud yn siŵr nad oeddwn i'n camgyfieithu!).

Atgofion digon difyr fel arall, gyda chriw bach ohonom o ddyddiau ysgol a oedd wedi hen arfer mynd allan liw nos i blastro priffyrdd a chaeau Sir Gâr â phosteri etholiadol y Blaid a pheintio sloganau ar ambell i bont wedi dwy etholiad seneddol mewn blwyddyn ym 1966. Felly roedd tynnu arwyddion ffordd yn rhyw ymestyniad o hynny (a rhaid cyfaddef nad oedden ni'n ffans mawr o'r syniad o fynd at yr heddlu i gyfaddef ein troseddau; ein hagwedd – llai egwyddorol ond cwbl ymarferol – oedd cadw'n traed yn rhydd a thynnu cymaint o'r pethau i lawr ag oedd bosib cyn cael ein dal).

Dwi'n cofio'r holl gyfnod o gwmpas yr achos cynllwynio ym mrawdlys Abertawe (1971) fel un diflas ac anodd dros ben, gan 'mod i'n gweithredu fel rhyw ysgrifennydd dros dro i'r Gymdeithas tra oedd Ffred a phrif swyddogion eraill y Gymdeithas yn y ddalfa.

(ii) **Ymgyrch y bedwaredd sianel**

Ro'n i'n llai gweithgar yn ymgyrch y bedwaredd sianel, yn rhannol am fy mod i wedi symud i Gaerdydd i weithio. Dwi'n cofio teimlo'n grac wrth sylweddoli y byddai'n rhaid i fi brynu set deledu er mwyn peidio â thalu am drwydded iddi!

Cofio rhyw ddeg ohonom yn torri i mewn i adeiladau mast HTV yn St Hilary (rywbryd ym 1973?) i geisio atal y trosglwyddo, a bod wrthi'n pwyso botymau a switsys a thynnu lifars heb syniad beth oedden ni'n ei wneud – wn i ddim hyd y dydd heddiw a lwyddon ni i darfu ar ddarlledu am unrhyw hyd. Cael tipyn o ofn pan gyrhaeddodd yr heddlu – yn lle dod i mewn i'n harestio, dyma nhw'n sefyll yno ac anfon cŵn heddlu i mewn i'n hel ni allan.

Tripiau i Lundain liw nos lle byddwn yn codi gweithredwyr yng Nghaerdydd a'u gollwng yn Llundain yn yr oriau mân, cyn gyrru 'nôl i Gymru mewn pryd i fynd i'r gwaith. Ac un tro cael fy restio yn Llundain pan wnaeth criw ohonom rwystro'r ffordd ger Whitehall. Yn Llys yr Ynadon wedi hynny, pan ofynnodd yr ynad i mi sut roeddwn am bledio, gofynnais yn Gymraeg am gyfieithydd (gwyddwn fod un yn bresennol). Anwybyddodd yr ynad y cyfieithydd a minnau, a gorchymyn i'r llys nodi 'mod i'n 'mute of malice', y tro cyntaf i mi ddod ar draws y term diddorol hwnnw.

Cofio gyrru lan i Ferthyr un bore, a'r car yn llawn taflenni, holiaduron a chlipfyrddau, ar gychwyn wythnos o ymgyrchu yn y dref i wneud arolwg o faint o gefnogaeth oedd yno i'r syniad o sianel Gymraeg. Digalonni wrth eistedd yn y car yn y maes parcio ger yr afon am amser maith heb i'r un enaid byw droi lan i helpu, pan ymddangosodd bachgen ysgol lleol hynaws, a oedd yn falm i'r galon. A dyna'r tro cyntaf i mi gwrdd â Marc Phillips!

### (iii) Ymgyrch gwaith dur Shotton

Y brif flaenoriaeth i fi o ddechrau 1973 ymlaen oedd ceisio trefnu ymgyrch gydag aelodau lleol yng ngogledd-ddwyrain Cymru i gefnogi gweithwyr dur Shotton yn eu hymgyrch yn erbyn cau'r gwaith, gan yrru 'nôl a 'mlaen o Gaerdydd i Sir y Fflint bob yn ail benwythnos am rai misoedd.

## Atgofion penodol am fod yn ferch yn y gweithgareddau hyn

Dim rhyw lawer – yn yr ysgol a'r coleg, pawb yn un criw o ffrindiau, yn ferched a bechgyn. Dwi yn cofio, fodd bynnag, pan oeddwn i'n gwirfoddoli yn swyddfa'r Gymdeithas, neu hyd yn oed yng nghanol prysurdeb yr achos cynllwynio (lle'r oeddem yn ceisio cynnal ymgyrch o fecws lleol yn Abertawe, a phob taflen neu ddatganiad i'r wasg yn dod allan yn gawlach o flawd gwyn ac inc du a oedd wedi gollwng o'r peiriant dyblygu Gestetner), fod bron pob dyn oedd ag angen rhywbeth wedi ei deipio yn gofyn i mi wneud. Doeddwn i erioed wedi dysgu teipio, ond “dere, ti’n gyflymach na fi” oedd hi beunydd. Ac wrth gwrs, fe o’n i, yn y pen draw, wedi’r holl ymarfer!

Nid tan ddyfodiad Thatcher, a than ddylanwad menywod llawer mwy ymwybodol wleidyddol ymhlith chwaeroliaeth Caerdydd ar ddiwedd y saithdegau, y dechreuais feddwl amdana i fy hun fel ffeminydd go iawn.

**Straeon**

Cael ein stopio gan gar heddlu wrth olau coch ger y sgwâr yng Nghaerfyrddin yn oriau mân y bore, â llond bŵt o arwyddion ar ôl noson gynhyrchiol. Allan â fi, a chael stŵr am fod un o oleuadau cefn y car wedi torri. Addo ei drwsio yn y bore, a ’nôl â fi i’r car – a methu’n lân â’i ailgychwyn. Allan â fi eto a gofyn i’r ddau blismon a fydden nhw cystal â gwthio’r car i’w ailgychwyn, a dyma nhw’n gwneud. Wedi tipyn o duchan a grwgnach gan y plismyn (dim rhyfedd, â’r car mor drymlwythog) dyma’r injan yn tanio ac i ffwrdd â ni.

Rali Ddarlledu, Llundain, Mawrth 1974

Ar nodyn mwy dwys, anghofia i byth mo'r sioc a'r ofn, ar ôl mynd drwy'r broses dderbyn i Holloway, o gael ein tywys i mewn i uffern o leisiau'n sgrechian a griddfan, llefain a rhegi, a churo diddiwedd ar ddrysau celloedd. Gan na wyddai awdurdodau'r carchar beth i'w wneud â ni ("the last political prisoner we 'ad 'ere was that Pat Arrowsmith"), cawsom ein rhoi ar y 'mental wing', yn llawn menywod â phroblemau iechyd meddwl difrifol. Wedi dychryn yn lân, dechreusom ganu i godi'n hysbryd a cheisio cau'r sŵn allan – ac roedd y canu fel pe bai'n tawelu'r carcharorion eraill. Felly bob nos wedi hynny, cyn i ni gael ein cloi yn ein celloedd, byddai lleisiau'n gweiddi "Get the Welsh singers!" a chaem ein gadael allan ar y rhodfa i ganu am dipyn nes bod yr asgell yn tawelu. Cofio dychryn hefyd mewn cyfnod cymdeithasu, pan gawsom ein hamgylchynu gan griw mawr o fenywod a oedd wedi darllen ein hanes yn y papurau, yn mynnu cael gwybod pam na fyddem yn ymddiheuro i'r barnwr er mwyn cael ein gollwng yn rhydd – gyda'r awgrym cryf y bydden nhw'n fodlon dweud unrhyw beth o dan y fath amgylchiadau. I geisio egluro, dywedodd un ohonom, "It's a matter of principle", ond doedd hynny ddim fel pe bai'n eu bodloni. Yn sydyn, daeth llais o gefn y dorf: "No, that's fair enough – if I had principles, I'd stand for them too!" Cawsom fynd wedyn, heb orfod ceisio egluro ymhellach.

# Y 1980au a'r 1990au

Meri Huws, cadeirydd benywaidd cyntaf y Gymdeithas, yn y cyfarfod cyffredinol yn 1981 (llun: Dorothea Heath)

Erbyn y 1980au, roedd y Gymraeg yn fwy gweladwy, gydag arwyddion dwyieithog ar y ffyrdd a rhagor o ddogfennaeth swyddogol ar gael yn y Gymraeg. Lansiwyd Sianel Pedwar Cymru (S4C) yn 1982 ar ôl ymgyrch hir a chwerw. Yn dilyn y llwyddiannau hyn, gwelwyd ymgyrchoedd dros Gorff Datblygu Addysg Gymraeg, Deddf Iaith newydd a Deddf Eiddo yn codi momentwm. Dyma oedd cyfnod streic y glowyr a phrotestiadau yn erbyn trefn apartheid yn Ne Affrica, a bu merched hefyd yn amlwg yn cydsefyll gyda'r undebau llafur ac yn cefnogi'r mudiad gwrth-apartheid. Gwelwyd newid yn statws merched yn y gymdeithas ac yng Nghymdeithas yr Iaith: am y tro cyntaf, roedd prif weinidog benywaidd, Margaret Thatcher, yn San Steffan, ac yn yr un cyfnod, cafodd y Gymdeithas ei chadeirydd benywaidd cyntaf, gyda Meri Huws yn cymryd y rôl yn 1981 ac Angharad Tomos yn ei dilyn yn 1982. Erbyn diwedd y degawd, roedd Helen Prosser a Siân Howys hefyd wedi gwasanaethu yn y swydd.

Mae merched ifanc yn parhau i chwarae rôl bwysig wrth ymgyrchu ond mae bywydau proffesiynol merched hŷn ychydig yn fwy amlwg erbyn hyn yn yr atgofion, gydag Ann Davies yn sôn am ei phryderon am golli ei swydd fel athrawes petai'n cael ei harestio, a Jane Aaron yn nodi sut roedd ei theitl 'doctor' wedi newid agwedd yr ynad a oedd yn ei dedfrydu wedi iddi wrthod talu dirwy fel rhan o'r ymgyrch dros addysg Gymraeg. Fel y noda Ann Elisabeth Jones, mae'r cydraddoldeb rhwng merched a dynion wrth iddynt gydweithio yn nodweddiadol o'r cyfnod hwn.

Diddorol yw gweld ymdrech i drafod a chefnogi cyfraniad merched at y Gymdeithas yng nghanol y 1990au, gan gynnwys sut mae cyfuno ymgyrchu a bod yn fam; rhywbeth efallai nad oedd yn bosib cyn i rolau menywod a dynion yn y Gymdeithas ddod yn fwy cydradd. Fodd bynnag, mae'r gwrthwynebiad i'r ffocws ar fenywod gan rai, a'u pryderon y gallai ffocws o'r fath achosi rhwygiadau lle nad oeddent yn bodoli o'r blaen, yn dangos sut mae hyd yn oed codi cwestiynau am faterion sy'n effeithio'n benodol ar fenywod sy'n ymgyrchu yn gallu corddi'r dyfroedd.

# Menna Elfyn

*Ymunodd y bardd a llenor Menna Elfyn â Cymdeithas yr Iaith yn 15 adeg Tryweryn. Bu'n rhan o'r ymgyrch tynnu arwyddion ffordd yn y chwedegau hwyr a saithdegau cynnar, ac yna'n rhan o'r ymgyrch dros sianel deledu Gymraeg. Fel arweinydd y Grŵp Statws, roedd ganddi rôl bwysig yn y ymgyrch Deddf Iaith newydd yn 1980au. Fe'i carcharwyd dwywaith am weithredoedd anufudd-dod sifil ac mae'r cerddi canlynol yn enghraifft brin o ferch yn barddoni am ei phrofiad o ymgyrchu gyda'r Gymdeithas.*

Menna Elfyn yn ei rôl fel Arweinydd y Grŵp Statws, 1984–85 (llun: Marian Delyth)

***Rhif 257863.H.M.P***
(Pucklechurch)
**Menna Elfyn**

Na chydymdeimlwch â mi,
nid Pasternak mohonof
na Mandelstam ychwaith,
gallwn dalu fy ffordd o'r ddalfa,
teirawr a byddwn yn y tŷ.

Gwesty rhad ac am ddim yw hwn
ond lle cyfoethog,
ymysg holl ddyfrliwiau teimlad,
barrau yw bara a chaws bardd.

Diolch frenhines, am y stamp ar sebon,
am uwd yn ei bryd. Am dywelion anhreuliedig,
'rwyf yma dros achos
ond des o hyd i achosion newydd.[2]

* * *

## *Cwfaint*

Mae cwfaint a charchar yn un. Lleian mewn lloc
a morynion gwynion dros dro'n magu dwylo,
eu didoli nis gallwn. Diystyr cyfri bysedd mewn byd

mor ddiamser. Fe ŵyr un beth yw trybini y llall,
bu yn ei bydew yn ymrafael â'r llygod ffyrnig,
dioddefaint yn sail i'w dyddiau.

Mae cariad ar oledd y mur. Croes rhwng troseddwyr
a gafodd. Cell rhyngddynt a'u mân groesau,
yn llawn seibiannau mawr. Pa Dad

2. Rwy' yn aml wedi dweud i mi fynd i garchar dros hawliau'r iaith a gadael yn gweld yr anghyfiawnder ynghylch bywydau merched: dod allan fel ffeminydd felly gan sylweddoli bod nifer o'r merched yn y carchar am resymau a oedd yn pwysleisio eu diffyg statws hwythau fel 'merched'.

a'i gadawodd mewn lle mor anial, llygad ychen drws
ei unig wrthdrawiad? A holodd hwy am fechnïaeth—
am brynu amser? Galw arno am drugaredd?

Lleianod cadwedig ydym yma. Wedi swpera
awn yn ôl i fyd ein myfyr. Yr un a wna rai'n sypynnau
heb gnawd. Yma, ni yw'r ysbrydol anwirfoddol,

yn dal y groes a'r troseddwyr rhwng ein gobennydd,
yn gyndyn mewn aberth, yn dyheu am adenydd.[3]

* * *

### *Y Gell Drws Nesa*

A thrwy farrau'r nos bûm yn wystl
i Atlantic 252. Yn meddylu am Iwerydd
lle cawn gyfle i gwffio â'i thonnau
ond tonfedd cariad sydd yma.
Onid y rhain a ddeall ei orlif?
Onid y rhain a ddeall ei drai
ar ddistyll y don?

Eto, hi a gân y gytgan yn drahaus o drachefn,
nid parodi mohoni – rhwng parwydydd
clywaf ei llais yn llawn paratoadau
am nwydau sy'n dinoethi'r nodau,
noethlymuna nes gadael cryd arnaf.

3. Mae'r gerdd yn cyfleu'r darlun ac roedd hyd yn oed canu allan o diwn yn rhagori ar floeddiadau a chrio parhaus gyda'r nos.

Ysaf am droi wedyn ati,
yn ddynes drws nesa flin sy'n swnian
am fod dail ei sycamorwydden yn disgyn dros glawdd
gan arthio am ei diffyg parch.
Ond beth yw parch yma ond dyn
a ddaw ar y Sul i estyn salm?
Pa ots felly mai aflafar yw'r llais?
Perthyn ydym oll i'r unsain.

Ac felly er mor ansoniarus yw'r gân
godinebaf â hi wrth ysu, drysu am unawdydd
a fedr ganu ar gnawd. A dioddef ei felan
a'i blŵs. Glasach yw ei gadael
geneth ar goll yn y gwyll

a hymian gyda hi allan o diwn,
yng nghadwyni ei halawon main.[4]

* * *

4. Wedi imi gyrraedd y gell yn hwyr un noson am y tro cyntaf, gwelwn un o'r carcharorion chwilfrydig yn pipo i mewn arnaf wrth fynd lawr y bloc at ei chell – ac yn fynych dychmygwch lygad yno pan nad oedd yna neb.

### ***Salm i'r Gofod Bach yn y Drws***

*(bydd ambell garcharor yn pipo miwn arnoch*
*yn y gwydr bach crwn)*

Llygaid Gaia wyt ti, weithiau
yn wincio'n gellweirus arna i
am ddal at fy muriau.
Llygad geneth droseddol
wrth daflu cip ar daith lawr y bloc
yn llanw'r llygad latsh â phenchwibandod.
Llygad dan sbectol ambell dro
yn adrodd yn ddeallus
wrth un â'i threm mor halog.
Llygad, a'i channwyll yn llosgi
yn nuwch fy unigedd,
yn golchi pob blinder â thrwmgwsg.
Llygad follt hefyd sy'n ysgwyd
Fy syllfyd a'm dyrchafu tua'r mynyddoedd,
gweddaidd wylio traed y rhai fu yno,
lle mae allweddau Mair ynghudd,
a'i dagrau wedi eu diferu ar ei mantell.

Lygatddu Gaia,
Namaskara, cyfarchaf y dwyfol ynot,
sy'n creu o'm craidd – ddrws agored.

# Rhianwen Roberts

*Mae Rhianwen Roberts yn arbenigydd polisi deddfwriaeth ac yn ddarlithydd yn y Gyfraith. Mae hi wedi bod yn arbenigydd annibynnol ar bwnc y gyfraith i Lywodraeth Cymru, ac ar bolisïau Ewropeaidd i'r Comisiwn Ewropeaidd. Yn 2020, fe'i penodwyd gan Swyddfa Comisiynydd y Gymraeg i gynnal adolygiad pan gwynodd y Gymdeithas am nifer yr ymchwiliadau yr oedd y Comisiynydd yn eu gwneud. Dyma ei hysgrif am ei phrofiadau fel aelod o Gymdeithas yr Iaith a'i brwydr bersonol am gyfiawnder ieithyddol a chymdeithasol.*

Roeddwn i'n bersonol, yn yr wythdegau, yn teimlo dau fath o anghyfiawnder: anghyfiawnder ieithyddol a hefyd, anghyfiawnder cymdeithasol – er na fyswn i ar y pryd yn gallu ei ddisgrifio fel anghyfiawnder cymdeithasol. Mae'r anghyfiawnder ieithyddol yn amlwg ond beth oedd yn fwy cudd ar y pryd oedd yr anghyfiawnder cymdeithasol oedd, mewn ffordd, ynghlwm wrth iaith rhywun; sef fod rhywun yn cael ei roi mewn dosbarth yn yr ysgol, nid o angenrheidrwydd yn ôl ei allu, ond yn ôl ei gefndir – oedd wrth gwrs yn cynnwys iaith. Roeddwn i'n ferch ffarm ac roedd tair 'set' yn y ffrwd Gymraeg yn yr ysgol: clyfar, canolig a thwp, ond o edrych yn fwy manwl a dadansoddi cynnwys y setiau hynny, roeddan nhw'n gyffredinol yn dangos trawstoriad cymdeithasol ac mewn gwirionedd yn setiau i: 1. Plant athrawon, plant rheolwyr banc, a phlant unrhyw arall heblaw plant ffermydd, ar wahân efallai i un neu ddwy o'r ffermydd 'mawr'; 2. Genod ffermydd; a 3. Hogia ffermydd. Yn naturiol, dwi'n cyffredinoli.

Roedd y 'top set' yn astudio Lefel O, y set ganol yn astudio 'CSEs' a'r set isaf heb ddim gobaith o gael unrhyw gymhwyster – yn enwedig efo'u hathrawon heb unrhyw allu i'w dysgu.

Roedd problem fawr efo hyn: roedd hyn yn 'social engineering' o'r radd flaenaf, er, efallai, yn anymwybodol ac mewn gwirionedd, yn eironig ddangos twpdra'r athrawon unigol oedd yn gweithredu'r fath ddisgresiwn. Byddai'r 'top set' yn cael cyfle i wneud Lefel A ac i fynd i'r brifysgol; byddai'r set ganol yn mynd i'r 'Tech' yn Llandrillo i wneud cwrs ysgrifenyddol neu goginio, cyn priodi mab ffarm; a byddai'r set isaf yn ffermio. A rhwng y rhengoedd yma, byddai merched i nyrsys yn mynd yn nyrsys.

Ar ben hyn i gyd, doedd y plant ddim yn cael astudio mathemateg na gwyddoniaeth drwy gyfrwng y Gymraeg, ac roeddan ni'n gymysg efo 'Saeson' fel roeddan ni'n eu galw nhw bryd hynny, felly roedd y rheini ohonom ni nad oedd yn gallu siarad Saesneg ar goll, fwy neu lai, o'r wers gyntaf ddechrau'r flwyddyn academaidd tan roeddan ni'n darfod yr ysgol. Cymaint o wastraff. Ond y 'bai' yma oedd ar lefel polisi, wrth gwrs, nid tuedd unigol athrawon. Byddai 'plant y dre' yn gallu ymdopi yn o lew oherwydd byddan nhw'n gallu siarad Saesneg. 'Hicks' oedd y gweddill ohonom ni'n cael ein galw gan 'Saeson' y dre – ond roedd yr ychydig Gymry oedd yn y dre yn 'saff' rhag y 'cyhuddiad' hwnnw. Duw a ŵyr o ble ddaeth y term hwnnw – doeddwn i ddim yn ei ddeall bryd hynny a dydw i ddim fyth.

Yn y cyfnod yna wnes i ymaelodi efo Cymdeithas yr Iaith. Dwi'n cofio mynd i Swyddfa'r Post a gofyn am ffurflenni yn y Gymraeg i dalu biliau – er nad oeddwn i'n gyfrifol am dalu biliau ar y pryd – ac wrth gwrs, doedd y Swyddfa Bost ddim efo ffurflenni Cymraeg – dyna'r holl bwynt. Roedd brodyr Dad i gyd wedi gadael Cymru ar ôl darfod ysgol a phriodi Saeson, a phan oeddan nhw'n dychwelyd i weld Nain efo'u gwragedd ryw unwaith y flwyddyn, byddai Dad yn aml iawn yn gwrthod siarad Saesneg efo'r gwragedd neu'n eu hateb yn y Gymraeg – er bod ganddo Saesneg cymharol dda. Felly roeddwn i wedi cael dipyn o 'fodel' ieithyddol cyn hynny yn Dad, er nad un effeithiol iawn!

Dwi ddim yn gwybod pam goblyn roeddan ni'n cael 'careers talk' yn yr ysgol achos fyddai'r rhan fwyaf ddim yn mynd ymlaen i gael gyrfa – yn eironig, roedd y system addysgol wedi gwneud yn sicr o hynny. Ond yr 'yrfa' roedd yr athro Ffiseg, oedd yn rhoi'r sesiwn i ni, yn meddwl oedd yn briodol i mi oedd 'gofal' yn y gymuned. Ond beth roeddwn i isio oedd bod yn rhan o weithio tuag at gyfartaledd iaith – yn fy naïfrwydd, roeddwn i'n meddwl y byddai cyfartaledd ieithyddol yn datrys llawer o bethau.

Angharad, Nia ac Alys, disgyblion yn Ysgol Llangefni, y tu allan i'r Swyddfa Bost yn rhwygo ffurflenni Saesneg, 1983

Cyngor yr athro Ffiseg yn y 'careers talk' oedd ein bod ni'n mynd i holi pobl oedd yn gweithio mewn meysydd roedd ganddon ni ddiddordeb ynddyn nhw. Felly, yn rhyw 14 oed, ac yn aelod o Gymdeithas yr Iaith, es i weld Dafydd Elis Thomas, oedd yn Aelod Seneddol yn lleol ar y pryd. Mae ei gyngor o wedi aros efo fi byth ers hynny, a hynny oedd i weithio 'oddi mewn'.

Pan ges i fy nghanlyniadau CSEs, cafodd llawer dipyn o sioc gan 'mod i wedi cael llwyth o ganlyniadau 'Gradd 1', oedd yn cael ei ystyried yn gyfartal â gradd 'C' mewn Lefel O. Dwi'n cofio mynd at bennaeth yr Adran Gymraeg oedd yn dysgu'r dosbarth Lefel O ond nid fy nosbarth i, a dweud y byswn i'n licio ymuno â'i dosbarth Lefel A hi – ond dywedodd na fyswn i'n gallu ymdopi â hynny.

Y gwir ydi, roedd y drysau wedi dechrau cau o 'nghwmpas i ac eraill pan oeddan ni'n un ar ddeg oed ac yn cael ein categoreiddio i wahanol setiau yn yr ysgol; ond dim ond yn un ar bymtheg roedd rhywun yn dechrau gweld sgileffaith hynny. Ac wrth gwrs, doedd hynny ddim ond megis dechrau.

Doedd dim posib astudio Lefel A Cymraeg yn y 'Tech' nac unrhyw bwnc Lefel A arall drwy gyfrwng y Gymraeg. Roeddwn i isio astudio rhai o'r pynciau mawr megis Gwleidyddiaeth, y Gyfraith, Economeg neu Athroniaeth – ond roedd astudio pynciau Lefel A mor drwm drwy gyfrwng y Saesneg allan ohoni i mi, oherwydd fyswn i ddim wedi gallu ymdopi efo hynny yn y Saesneg.

Un pwnc roeddwn yn gryf ynddo oedd Cerdd – doedd dim rhaid siarad llawer o Saesneg yn hwnnw. Ac oherwydd partneriaeth rhwng y 'Tech' yn Wrecsam a choleg chweched dosbarth Yale, roedd hi'n bosib astudio Cerddoriaeth Lefel A yno. Felly dyna wnes i.

Ar y pryd, roedd y protestio ar y newyddion yn Aberystwyth ac ati, a'r bobl ynghlwm wrth y protestio yn fyfyrwyr prifysgol – yn hŷn na fi – ac yn blant, roeddwn i'n tybio, i bobl broffesiynol fel y plant oedd yn y 'top set' yn yr ysgol ac yn mynd i'r brifysgol. Yn lleol, roedd y plant a'r bobl ifanc eraill o'm cwmpas i yn derbyn pethau fel yr oeddan nhw, am un rheswm neu'i gilydd, un ai ddim yn cwestiynu pethau neu yn teimlo'n rhy ddiymadferth i wneud unrhyw beth. Felly, yn lleol, roeddwn i'n teimlo ar ben fy hun yn fy mrwydr ar gyfer cyfiawnder ieithyddol. Dim ond gweithio 'oddi mewn' oedd amdani felly.

# Helen Prosser

*Bu Helen yn gadeirydd ar y Gymdeithas rhwng 1987 ac 1989.*

Roedd y daith ar drên o Donyrefail i Aberystwyth ym mis Medi 1980 yn gychwyn ar siwrnai oedd yn mynd i lywio a newid fy mywyd am byth. Cofiaf ffonio Mam o Undeb y Myfyrwyr ar ôl cyrraedd a dweud, "Mam, everything is in Welsh." Roeddwn wedi optio am y neuadd Gymraeg ond doedd gen i ddim syniad mewn gwirionedd beth oedd ystyr hynny. Roeddwn wedi siarad Cymraeg ddiwethaf yn fy mhrawf llafar Lefel A fisoedd ynghynt a dyma lanio yng nghanol byd oedd yn gwbl newydd i fi yn fy ngwlad fy hun.

Mae'n debyg fy mod wedi bod yn anifail gwleidyddol erioed – Gwenallt ac nid R. Williams Parry oedd yn fy nghyffroi ar y maes llafur Safon Uwch. Felly, rhywbeth naturiol oedd dod yn rhan o ymgyrchoedd Cymdeithas yr Iaith. Ar y cychwyn, gweithgarwch Undeb Myfyrwyr Cymraeg Aberystwyth aeth â'm bryd ar adeg pan oedd ymgyrchoedd gwleidyddol cryf. Roedd yn mynd law yn llaw bod y myfyrwyr oedd yn weithgar gyda'r Undeb hefyd yn cefnogi'r Gymdeithas, felly dechreuais i fynd i gyfarfodydd cell a chefnogi ambell i brotest. A dyna lle cwrddais i â threfnydd y Gymdeithas ar y pryd, Walis Wyn George. Gwelodd Walis fod gwir ddiddordeb gyda fi a dechrau cysylltu. Digon hawdd oedd cefnogi o fewn diogelwch Aberystwyth, ond cofiaf fynd adref ar gyfer gwyliau a mynd i brotest yn adeiladau Cyd-bwyllgor Addysg Cymru yng Nghaerdydd oedd yn rhan o'r ymgyrch dros Gorff Datblygu Addysg Gymraeg. Ffred Ffransis oedd yn arwain y brotest honno a gwnaeth argraff fawr arnaf – mor benderfynol o gyrraedd ei nod ond mor barchus o ofalwr y safle y buom yn ei ddifrodi. Des i'n aelod gweithgar o Gymdeithas yr Iaith – yn olygydd *Tafod y Ddraig* ac yn gadeirydd.

Helen Prosser (yr ail o'r chwith), gyda Mrs Gwyneth Harris, Maldwyn ap Dafydd, Llŷr ab Islwyn a Sali Wyn ab Islwyn, Canolfan Cyngor Dyffryn Lliw, 19 Mawrth 1987 (llun: Western Mail/Mirrorpix)

Y ddwy ymgyrch rwyf yn eu cofio fwyaf yw'r ymgyrchoedd dros Ddeddf Iaith newydd a Chorff Datblygu Addysg Gymraeg.

Menna Elfyn oedd arweinydd y grŵp fu'n ymgyrchu dros Ddeddf Iaith newydd a'r hyn sy'n aros yn y cof yw'r oriau o bwyllgorau a llythyru. Cofiaf weithio gyda phobl fel y diweddar Gwilym Prys-Davies a Dafydd Wigley yn llunio deddfau y gellid eu mabwysiadu fel cyfraith gwlad. Ac roedd y protestio hefyd wrth gwrs. Ces i fy arestio am dynnu arwyddion ffyrdd y noson cyn fy nghanlyniadau gradd. Cawson ni ein dal y noson honno a derbyniais i fy nghanlyniadau gradd dros y ffôn (gyda phlismon yn dal y ffôn) yng ngorsaf heddlu y Drenewydd. Arweiniodd y noson honno at yr unig gyfnod yn y carchar a dreuliais i. Carcharwyd Dafydd Morgan Lewis a finnau'r un diwrnod ac mae Dafydd a finnau'n aml yn cofio eistedd yn swyddfa'r heddlu yn Aberaeron a'r heddlu'n chwarae caneuon Dafydd Iwan i ni. Aethon nhw i nôl sglods hyfryd i ni hefyd cyn i fi orfod wynebu'r daith hir i Pucklechurch. Da gallu adrodd i waith dygn y Gymdeithas, unigolion allweddol a llu o fudiadau'n cydweithio arwain at Ddeddf Iaith newydd.

Ffred Ffransis fu wrth y llyw gyda'r ymgyrch dros Gorff Datblygu Addysg Gymraeg, felly mae hi'n ymgyrch gofiadwy. Buon ni ar bererindod wythnosol i swyddfeydd CBAC yng Nghaerdydd i beintio sloganau ar yr adeilad, torrwyd i mewn i nifer fawr o adeiladau, a bu sawl ympryd a gwersyll. Ces innau'r profiad o arwain criw o fyfyrwyr Aberystwyth i fynd i mewn i greu llanast yn swyddfeydd y City and Guilds yn Llundain tra oedd y staff yn dal i fod wrth eu desgiau – un o'r pethau mwyaf ofnadwy rwyf wedi gorfod eu gwneud gan nad wyf yn hoff o wrthdaro. Cawsom ein cadw dros nos yng nghelloedd yr heddlu cyn mynd gerbron ynadon yn Llundain y bore wedyn. Roedd un plismon yn mynnu cyfeirio at Aled Siôn fel Alfred, ac Aled yn ei ffordd ei hun yn ateb bob tro, "Aled, glei"!

Bu'r ymgyrch honno hefyd yn llwyddiant i raddau. Sefydlwyd Pwyllgor Datblygu Addysg Gymraeg (PDAG) i gydlynu addysg Gymraeg o'r crud i'r bedd. Pan oedd cyfarfod rai blynyddoedd wedyn i ddod â'r corff hwnnw i ben, roeddwn i erbyn hynny yn aelod o staff CBAC. Yng ngwesty'r Copthorne yng Nghaerdydd roedd y cyfarfod os cofiaf yn iawn ac aelodau'r Gymdeithas yn gwersylla tu allan, yn protestio yn erbyn y bwriad i ddod â'r corff i ben. Roeddwn i'n rhan o'r cyfarfod yn trafod hyn, ac yng nghanol y dydd dyma Ffred ac aelodau'r Gymdeithas yn dod i mewn i'r ystafell. Rhoddodd Ffred gynnig gerbron bod y bobl oedd yn bresennol yn yr ystafell yn gwrthwynebu'r bwriad i ddiddymu PDAG. Nid oedd y cadeirydd yn fodlon iddo wneud y cynnig am nad oedd yn aelod ffurfiol o'r cyfarfod. Felly, mewn ystafell oedd yn llawn dynion mewn siwts, codais fy llaw, eiliodd Alun Jones oedd yn Ysgol Penweddig ar y pryd, a phasiodd y cynnig yn hawdd. Wnaeth hynny ddim helpu'r achos. Daeth y Pwyllgor Datblygu Addysg Gymraeg i ben, a does dim byd erioed wedi dod i gymryd ei le – corff sydd â gorolwg cynhwysfawr o ddatblygiad addysg Gymraeg o'r crud i'r bedd.

Un o'r pethau braf am Gymdeithas yr Iaith yw bod cyfle i chi gael eich llais wedi'i glywed, boed yn hen neu'n ifanc, yn ddyn neu'n ferch – dyna fy mhrofiad i, beth bynnag. Roedd llawer o ferched cryf sy wedi gwneud cyfraniad aruthrol yn gwmni rhagorol i fi yn fy nghyfnod mwyaf gweithgar i yn yr wythdegau – Angharad Tomos, Siân Howys, Helen Greenwood, Jên Dafis. Diolch iddynt am fod yn ferched peryglus.

Helen Prosser, Rali Deddf Iaith, 1989

Byddaf yn aml yn meddwl yn ôl i un peth a ddywedodd plismones wrtho i yn Llundain. Pan ddaeth yr heddlu i'n harestio adeg creu difrod yn swyddfa'r City and Guilds, roedden nhw'n gallu gweld yn syth ein bod yn bobl ddigon deche. Geiriau'r blismones i fi oedd, "I can't imagine doing what you've done, unless it was for my family." Felly, mi oedd hi'n gallu dychmygu torri'r gyfraith yn enw rhywbeth oedd yn bwysig iddi, torri'r gyfraith dros bobl y byddai hi am eu gwarchod. Ein braint ni yw gwarchod yr iaith Gymraeg.

A sôn am deulu, trwy'r Gymdeithas y cwrddais i â Danny, fy ngŵr ers dros chwarter canrif. Cwrddon ni mewn cyfarfod o Senedd y Gymdeithas yn Swyddfa'r Blaid yng Nghaerfyrddin. Diolch yn fawr i Gymdeithas yr Iaith!

# Tonwen Davies

Yn 1983 treuliodd Helen Prosser, Lydia Griffiths a finnau noson yng nghelloedd heddlu y Drenewydd (ymgyrch Deddf Iaith – peintio arwyddion ffyrdd). Mae'r hanes yn Wyt ti'n Cofio? (tudalen 181).

Yn gynnar y bore wedyn roedd yr heddlu am ein rhyddhau ond yn dymuno i ni arwyddo papurau mechnïaeth uniaith Saesneg, neu aros am rai oriau iddynt fynd i nôl rhai Cymraeg i rywle! Dewis aros wnaethom, er bod Helen yn disgwyl cael canlyniadau ei gradd y bore hwnnw. Wedi peth perswâd cafodd Helen ganiatâd i ddefnyddio ffôn i roi galwad i'r Adran Gymraeg yn Aber i holi a oedd ganddi BA.

Dwi'n cofio'r rhingyll yn dweud, "Roeddwn yn gwrando ar Dafydd Ioan (sic) bore 'ma yn canu 'Plant y Fflam' – doedd o ddim yn gwybod fod tri o'r plant yn fan yma, nag oedd!"

Mae gen i lun o'r tair ohonom yn sefyll tu allan i Lys Ynadon y Drenewydd hefo rhesiad o heddlu tu ôl i ni, a Helen mewn crys-T Tafod.

Helen, Tonwen a Lydia y tu allan i Lys Ynadon y Drenewydd, 1983

# Ann Davies

Dwi wedi bod i sawl rali dros y blynyddoedd ond yr un sy'n aros yn y cof fwyaf ydi'r un yn Llundain. Roeddwn yn rhyfeddu bod yr heddlu wedi clirio'r strydoedd o geir er mwyn i'r brotest fynd yn ei blaen. Roeddwn wedi teithio i Lundain ar y trên efo fy merch 11 oed a'i ffrind. Popeth yn iawn tan i ni gyrraedd y Swyddfa Gymreig ac ymgynnull ar y stepiau er mwyn cuddio'r rhai oedd yn gweithredu wrth beintio slogan ar y drysau. Dwi'n cofio'r ofn pan wnaeth yr heddlu fygwth arestio pawb, a finnau efo plentyn rhywun arall yn fy nghôl. Roedd y Black Marias yn aros amdanom. Roeddwn yn dysgu ar y pryd ac ofn colli fy swydd. Nath o neud i fi sylweddoli mor ddewr ydi pobl fel Angharad Tomos sydd wedi sefyll i fyny a neud cymaint ac yn barod i fynd i'r carchar dros yr iaith.

Y rali yn Llundain

# Ann Elisabeth Jones

**Pam wnes i ymuno â Chymdeithas yr Iaith?**

Ro'n i yn ddeg ar hugain oed ac felly tipyn bach yn hŷn na rhai o aelodau'r Gymdeithas. Y peth wnaeth i mi ymuno oedd fy ngwaith ymchwil ar gyfer fy nhraethawd MA ym Mhrifysgol Llundain, 1986–87. Y pwnc oedd 'Agweddau tuag at yr Iaith Gymraeg yn y Wasg'. Arferwn fynd i lyfrgell y brifysgol, Senate House wrth ymyl Russell Square, gyda'r nos ar ôl diwrnod o waith (ro'n i'n dysgu'n llawn amser adeg hynny) neu ar y penwythnos, a chwilio am erthyglau ar meicrofiche. Ac roedd yr hyn yr oeddwn yn ei ddarganfod yn ddigon i godi gwallt fy mhen. Roedd bron pob cyfeiriad at fy mamiaith yn hiliol, yn frawychus o unochrog a rhagfarnllyd. Roedd hyn yn cynnwys pob un papur newydd, o'r *Times* i'r *Sun* i'r *Guardian*, sef y papur yr oeddwn yn fwya tebygol o'i ddarllen fy hun.

Roedd y profiad wedi fy synnu a fy chwerwi ar yr un pryd, ac ar ôl deufis o hyn o gatalyst roeddwn wedi dod yn gefnogol dros ben o Gymdeithas yr Iaith a'i hymgyrchoedd. Ymunais ar ddechrau haf 1987, blwyddyn Steddfod Porthmadog, sef steddfod leol i ni ym Mhen Llŷn. Roeddwn yn gwisgo bathodyn y Tafod trwy'r amser. Meddai fy chwaer Meinir, "Petaet ti'n medru rhoi hwnna trwy dy dafod dy hun, dwi'm yn ama na wnaethat!" Ella eu bod hwythau adra wedi synnu at y newid ynof, wrth fy mod wedi dewis gadael Cymru yn ddeunaw oed i fynd i Brifysgol Sussex yn Lloegr, ac wedi treulio cyfnodau ym Mrwsel, Toulouse, ac Algeria ar ôl hynny. Ac yn Llundain yr oeddwn yn parhau i fyw. Yn sicr, mi ddaeth â fi a fy mrawd, Bleddyn, sy un ar ddeg mlynedd yn iau na fi, yn agosach at ein gilydd, ac aethom i rai o gigs y Gymdeithas efo'n gilydd yn y steddfod honno.

Un pnawn cofiadwy roedd gan y Gymdeithas rali ar faes y Steddfod. Mi es draw, a chlywed Toni Schiavone, cadeirydd y

Gymdeithas ar y pryd, yn galw ar bobl i weithredu. Bu saib, rhyw 'chydig bach yn annifyr, a wedyn clywais fy hun yn ateb ac yn camu ymlaen.

O diar! Yn syth wedyn ro'n i yn difaru braidd 'mod i wedi bod mor fyrbwyll – fyddai galw arnaf i beintio banc yn wyrdd? A wedyn mynd i'r carchar? Ond, chwara teg iddo, daeth Toni ei hun ar fy ôl am sgwrs fach:

"Sdim raid i ti fynd i'r carchar na dim byd felly, sti, os nag wyt ti isio," eglurodd, "ond mi fedri di'n helpu ni mewn sawl ffordd yn Llundain, fel hel gwybodaeth ar gyfer ymgyrch."

Roedd hyn yn swnio'n hollol resymol, a felly fu. Ymhen rhai misoedd cysylltodd y Gymdeithas â fi. Roeddynt eisio cynnal protest mewn arwerthiant o dir ac eiddo Cymreig yn Llundain. Byddai hyn yn digwydd mewn hotel enfawr, y Grand Russell Hotel (mwy neu lai dros y ffordd i lyfrgell y brifysgol, fel mae'n digwydd), a da fyddai cael disgrifiad manwl o'r gwesty, yn enwedig y llawr lle byddai'r ocsiwn yn cael ei chynnal, er mwyn medru paratoi. Dyma fi'n mynd, ac edrych o gwmpas, gwneud nodiadau, a'u hanfon at y Gymdeithas mewn da bryd – yn teimlo fel rhyw fath o sbei.

Cefais wybod yn ddiweddarach, gan Angharad Tomos, a oedd yn bresennol yn y brotest, nad oedd wedi mynd yn union fel y disgwyliwyd. Bu gweiddi, do, a thorri ar draws yr ocsiwn – ond pwy wyddai y byddai yna gantores opera yn bresennol a honno'n dechrau canu nerth ei phen i foddi'r brotest?

Mi wnes i drysori'r llythyr yna am hir, achos mi wnaeth i mi chwerthin gymaint.

Penderfynais fod yna fwy nag un ffordd i gefnogi'r Gymdeithas. Y cam nesa oedd mynd ati i sefydlu cell o'r Gymdeithas yn Llundain. Roedd hyn yn apelio'n fawr at fy hoffter o drefnu achlysuron. Ces gefnogaeth frwd gan Karl Davies a Meinir Huws, y ddau ohonynt yn gweithio i Blaid Cymru yn Westminster yn ystod y cyfnod yma. Daethom o hyd i stafell uwchben tŷ tafarn o'r enw The Calthorpe Arms, sy bron gyferbyn â Chlwb Cymry Llundain, a dechrau cynnal cyfarfodydd yno bob mis. Fi oedd yn gyfrifol am gadeirio, ac yn fuan cefais gyd-weithwraig werth chweil – merch a oedd wedi ei magu yn Gymraes yn Llundain. Liz Saville oedd ei henw.

Cawsom lawer i gyfarfod difyr a daeth y gell yn ddolen gyswllt rhwng llawer o Gymry ifanc Llundain yn yr wythdegau hwyr. Cafwyd rhai partïon cofiadwy hefyd ...

Sut ddaeth y cyfnod cynhyrfus yma i ben, i mi beth bynnag? A wel, pan gyrhaeddodd Mirain Leahy Jones yn 1990, a'i brawd, Euryn Costello Jones, yn 1994. Aeth y ddau yna â fi i gyfeiriad arall, sef, yn llythrennol, i Willesden Green – lleoliad Ysgol Gymraeg Llundain yn y nawdegau cynnar. Dechreuwyd pennod newydd.

Roedd merched yn rhan allweddol o'r Gymdeithas yn ystod yr wythdegau. Efallai mai Angharad Tomos oedd y fwya adnabyddus, am ei bod hi'n llenor yn ogystal â gweithredwraig – pwy fedrai anghofio *Yma o Hyd*? Roedd y llyfr a'i lais unigryw – clir a chignoeth – wedi gwneud argraff arnaf hyd yn oed cyn y trawsnewidiad. Ond yr oedd yna lawer o ferched eraill. Meinir Ffransis, oedd yn fam a hefyd yn brotestwraig. Helen Greenwood, ddaeth yn gadeirydd ar y Gymdeithas (ro'n i'n lecio'r ffaith bod ganddi gyfenw Seisnigaidd – achos dim yr enw yn unig sy'n cyfri). Fel y soniais, dwy ferch oedd Liz a finnau yn sefydlu a rhedeg cell y Gymdeithas yn Llundain. Ond wedi dweud hynny, yn fy mhrofiad i roedd y Gymdeithas yn esiampl dda o sut y medrai merched a dynion gydweithio ar gyfer achos oedd yn bwysicach ac yn fwy na nhw eu hunain.

# Jane Aaron

Ymunais â Chymdeithas yr Iaith ar ddechrau'r 1990au, wedi imi o'r diwedd lwyddo i gael swydd yng Nghymru ar ôl bod yn gweithio am bymtheg mlynedd yn Lloegr. Bron i mi anobeithio yn yr wythdegau; nid oedd oes Thatcher yn adeg dda i geisio am swyddi prifysgol, yn enwedig os oeddech yn fenyw. Rhyddhad mawr, felly, oedd cael cynnig hen swydd Ned Thomas yn Adran Saesneg Aberystwyth, ar ôl iddo yntau ymgymryd â golygyddiaeth Gwasg y Brifysgol yng Nghaerdydd. Ond tipyn o siom oedd y swydd newydd ar un olwg. Heblaw am y dyrnaid o fyfyrwyr brwdfrydig ar y cwrs llên Eingl-Gymreig a etifeddais oddi wrth Ned, ychydig iawn o Gymry ac o'r Gymraeg oedd yn yr adran, ac yr oedd agwedd ddigon negyddol ymhlith rhai o'r staff ar y pryd yn erbyn yr iaith a'r diwylliant Cymreig. Rwy'n cofio meddwl, dyw hyn ddim gwahanol i weithio yn Lloegr; dwi heb lwyddo i ddod adre i Gymru wedi'r cwbl. Rhaid oedd chwilio am fyd Cymraeg tu allan i'r gwaith, a'r Gymdeithas oedd y man amlwg.

Cawsom lawer o hwyl yng nghell fywiog Aberystwyth trwy'r nawdegau. Efallai mai'r digwyddiad mwyaf cyffrous oedd ymweliad y Frenhines ag Aberystwyth ar yr 31ain o Fai, 1996, i agor adeiladau newydd y Llyfrgell Genedlaethol a'r Brifysgol, pan yrrwyd hi allan o'r dre cyn gorffen ei negeseuon gan brotestiadau egnïol y myfyrwyr. Roeddwn i yn nhafarn y Cŵps y diwrnod hwnnw, yn y dathliad amgen a drefnwyd fel rhan o'r protestio, a mawr oedd y cyffro wrth i'r newydd fod y Frenhines wedi gorfod ffoi o Aberystwyth ymdaenu drwy'r criw.

Yn sicr, nid wy'n cofio unrhyw elfen o anffafriaeth yn ôl rhyw ymhlith aelodau'r Gymdeithas yr adeg honno, ond yn hollol i'r gwrthwyneb os rhywbeth. Cyn ymweliad ei Mawrhydi yr oeddwn i a Gwenan Creunant, fel cadeirydd ac ysgrifennydd cangen Aber o'r

Gymdeithas ar y pryd, wedi ysgrifennu ati i ofyn:

> Ac ystyried safle'r Llyfrgell fel storfa treftadaeth ddiwylliannol a llenyddol Cymru, oni fyddai agoriad yr adeilad newydd yn gyfle gwych i'ch Mawrhydi gynnig ymddiheuriad hir-ddyledus ers tro i'r Cymry am yr erledigaeth a fu ar yr iaith Gymraeg gan lywodraethau a rheolwyr Seisnig yn y gorffennol?

Cawsom ateb (dwyieithog) o'r Palas, wedi ei arwyddo gan un Mrs Mary Francis, yn diolch inni am ein llythyr ond yn ymddiheuro 'na fyddai'n briodol i'w Mawrhydi gyflwyno sylwadau ar y materion a godwyd yn eich llythyr'. Gohebiaeth wedi ei chynnal gan a rhwng menywod yn unig, sylwer, ond ni soniodd un o'r erthyglau papur newydd a dalodd sylw i'n llythyr am hynny. Erbyn y nawdegau, diolch i ymdrechion arwrol y merched a fu o'n blaenau, nid oedd y ffaith bod menywod yn chwarae'u rhan ym mhrotestiadau Cymdeithas yr Iaith yn newyddbeth i unrhyw un.

Yn ystod misoedd yr hydref, 1993, bu sawl merch hefyd yn gweithredu yn ymgyrch y Gymdeithas o blaid trefn addysg annibynnol i Gymru. Teimlem yn gryf fod yn rhaid gwrthwynebu polisïau addysg y blaid Dorïaidd oedd am breifateiddio mwy o ysgolion trwy eu hannog i eithrio eu hunain o ofal y cynghorau lleol, a chreu'r Cwricwlwm Cenedlaethol gyda'i 'league tables' a'i diystyriaeth o hanes arbennig Cymru a'i chymunedau. Siân Howys oedd awdur maniffesto'r ymgyrch, *Addysg ar gyfer Cymuned Rydd neu Farchnad Rydd? Yr Achos dros Gyfundrefn Addysg Gymunedol i Gymru* (1992), a charcharwyd dwy o fyfyrwyr, Beca Brown ac Olwen Evans, am fis yn Nhachwedd 1993 ar ôl iddynt, fel rhan o'r ymgyrch, achosi difrod i bencadlys y Blaid Dorïaidd yng Nghaerdydd. Crëwyd 'Trefn Deg', gyda deg myfyriwr, deg o'r ysgol, deg rhiant, deg darlithydd, ac ati, yn difrodi adeiladau'r llywodraeth trwy fisoedd yr hydref. Roedd tair o'r deg darlithydd yn fenywod, a chawsom noson ddiddorol yng ngorsaf heddlu Bangor ar ôl chwalu cwpwl o ffenestri swyddfeydd y llywodraeth ym Mhenrhosgarnedd.

Yn Awst 1994 yr oeddwn i a Richard Wyn Jones o flaen Llys yr Ynadon yn Aberystwyth oherwydd inni wrthod talu'r ddirwy oedd yn ddyledus ar ôl y brotest honno, a chawsom ein dedfrydu i wythnos o garchar. Rwy wedi rhoi hanes fy ymweliad byr â Chanolfan Gadw Pucklechurch ar bapur o'r blaen (gweler isod), felly wna i ddim ailadrodd hwnnw'n awr. Ond mae un stori nas rhoddwyd y pryd hynny yn aros yn fy nghof. Yn anffodus, cyn hynny wyddwn i ddim fod gan swyddogion carchar hawl i gymryd meddiant, heb eich caniatâd, o bob ceiniog o'r arian oedd arnoch wrth fynd mewn i garchar, er mwyn talu unrhyw ddirwy oedd yn ddyledus. Dim ond £51 a 38c oedd fy nirwy, ac roedd rhyw ddeg punt ar hugain yn fy mhwrs pan euthum i mewn. O ganlyniad, yn sydyn iawn heb air o rybudd, yn hwyr yn ystod yr ail ddiwrnod yn Pucklechurch, daeth swyddog i'r gell a gorchymyn imi bacio fy mag a mynd o 'na. Oherwydd iddynt fy nhaflu allan mor ddirybudd, heb amser i ffonio am lifft, bu'n rhaid iddynt roi ticed trên i mi i fynd o Fryste i Aberystwyth. Roedd y ffaith fod pris y ticed yn rhyw ddeg punt yn fwy na'r arian a gymerasant o 'mhwrs yn rhywfaint o gysur.

Olwen Evans a Beca Brown, 1992

Wrth i'r trên agosáu at Aber, cerddai merch led gyfarwydd yr olwg i lawr y cerbyd tuag ataf, ond stopiodd yn stond wrth fy ngweld. Syllodd arnaf fel pe bai wedi gweld ysbryd, a'i llygaid yn llawn braw ac anghrediniaeth, ac yna trodd o'i hamgylch a ffoi'n ôl oddi wrthyf.

Rhyfedd, meddyliais, bach o orymateb, ond y diwrnod wedyn deallais pam. Ar ôl clywed y newydd am y dyfarniad, penderfynodd rhyw gastiwr o'r brifysgol roi'r poster isod i fyny ar hyd waliau coridorau Adeilad Hugh Owen.

Rhaid bod y ferch ar y trên wedi adnabod y wyneb, wedi gweld neu glywed am y poster, ac wedi meddwl, gan mai yn y carchar y dylwn fod y noson honno, fy mod yn wir wedi llwyddo i ddianc oddi yno.

Fodd bynnag, er na ddihangais yn anghyfreithlon o Pucklechurch, profodd fy ymwneud â Chymdeithas yr Iaith yn ystod y nawdegau yn ddihangfa go iawn mewn modd arall. Ni'm poenwyd wedi hynny gan unrhyw syniad nad oeddwn wedi llwyddo i ddod yn ôl i Gymru. Dysgais mai mater o'i ewyllysio yw Cymreictod yn y bôn; pa ddewisiadau bynnag a wnaethpwyd yn y gorffennol, gellir dychwelyd a mynnu bod yn Gymro, neu'n Gymraes. Ond er mwyn byw yn Gymraeg, mae eisiau cymuned o siaradwyr yr iaith o'ch cwmpas, a diolch i holl aelodau'r Gymdeithas, ddoe a heddiw, yn wryw a benyw, am eu cyfraniad hollbwysig hwy at gynnal y cymunedau hynny.

Y poster

**Addysg Carchar**
**(Tafod y Ddraig, 256, 1994, 15–17)**

1) Ergyd dros Addysg

'Ai chi yw Jane Aaron, 3 Golygfa'r Gadeirlan ...?' gofynnodd y clerc. 'Rhoswch chi nawr,' meddai'r ynad, 'Mrs neu Miss yw hon?' 'Doctor,' atebais innau, a gwelais ei wyneb yn newid. Yn sydyn, ni edrychai mor ffyddiog ynghylch ein danfon i'r carchar, ond gan fod Dicw wedi cael ei ddyfarnu'n gyntaf, ac yn barod yn eistedd mewn cyffion yn lobi'r cwrt, doedd ganddo ddim dewis. Ni phrofodd pum mlynedd o ymchwil erioed yn arf mor ddefnyddiol i mi o'r blaen.

**2) Cyffion**

Tra'n bod ni'n aros yn y lobi, daeth menyw ifanc allan o'r cwrt yng ngofal yr heddlu, a ffrydlif o regfeydd lliwgar yn pistyllu o'i genau. Torrwyd ar ei thraws gan glic y cyffion wrth iddi gael ei chadwyno i mi. 'Duw mawr!' meddai gan syllu'n syn. 'Dydw i erioed wedi gwisgo un o'r rhain o'r blaen, heblaw yn y gwely!' Roedd wedi ei dyfarnu i fis o garchar am beidio â thalu dirwyon gyrru, a'r holl ffordd i lawr o Aberystwyth i Pucklechurch, â'r ddwy ohonom yn rhwym wrth ein gilydd yng nghefn y car heddlu, mynnodd fod y swyddogion yn aros i ddwrdio pob gyrrwr diofal. 'Drychwch arno fe! Ma' fe 'di croesi'r llinell wen! Rhowch ddirwy go drom iddo fe!' Nid oedd modd rhwymo ei hasbri na'i thafod, ac roedd ei ffraethineb hefyd yn arf.

**3) 'Let's Make Music'**

Yn ffodus, roeddwn yn gwybod beth i'w ddisgwyl fel croeso yn Pucklechurch gan fy mod wedi darllen *Yma o Hyd*. Serch hynny, tua chanol y prynhawn, wedi defodau'r croeso, yn sydyn aeth pethau yn ormod. Gorchmynnodd y swyddog i mi ei dilyn trwy'r carchar tuag at fy nghell, yn cario bocs o flancedi, ac yn gwisgo pâr o sandalau plastig o liw gwyrdd llachar a gŵn nos carchar, sef crys-T ac arno'r geiriau 'Let's Make Music'. Roedd hyn yn rhy debyg i hunllef plentyndod i fod yn hollol dderbyniol. Rhoddais y bocs i lawr, gafael yn fy nillad fy hun a welwn o dan y blancedi, a dweud yr hoffwn eu gwisgo cyn i mi fynd 'walkabout' (roeddwn yn reit falch o fy hunan i mi fedru taro ar air mor ffwrdd-â-hi o dan y fath amgylchiadau). 'Na,' meddai'r swyddog yn ddigon caredig, 'rhaid dilyn y rheolau, ond peidiwch â phoeni, mae pawb wedi arfer â nhw yma, fydd neb yn synnu atoch.' Yr oedd ei geiriau yn gymorth mewn cyfyngder.

Deallais fy mod yn chwarae rhan mewn math o gêm, ac mai pwrpas y gêm oedd israddio'r carcharorion a gwneud iddynt deimlo cywilydd personol, fel petaent i gyd yn blant drwg. Ond gan fod rheolau'r gêm yn hollol amhersonol, yn union yr un fath i bob carcharor, doedd dim ond eisiau rhoi heibio meddylfryd y byd oddi allan, ac yr oeddem yn rhydd. Pwy na fynnai wared ei hunan o'r syniad ei fod yn bwysig beth rydym yn ei wisgo? Codais fy mocs unwaith eto, gan deimlo fod baich yn disgyn oddi ar fy ngwar. Bron na allwn fod wedi canu wedi'r cwbl.

### 4) **Cyfleusterau Cyhoeddus**

Y peth cyntaf a welais wrth geisio gwthio fy mocs trwy ddrws cul y gell oedd clamp o gomôd enfawr, a lenwai o leiaf trydedd ran o ofod cyfyngedig y cwt. Roedd fy nghydymaith yn y gell yn dioddef o'r cryd cymalau, ac wedi cael caniatâd i rannu'i lle gyda'r orseddfainc nobl hon, sef unig gomôd y carchar. Yn garedig iawn, cynigiodd fy mod i yn ei ddefnyddio hefyd, yn hytrach nag iwsio'r pot babi o dan y gwely. Wrth eistedd ar yr orsedd gref gyda'i breichiau cadarn, teimlwn fel un o frenhinoedd Ffrainc cyn y chwyldro, ac nid oedd y ffaith fod gennyf gynulleidfa yn amharu dim ar ddigniti y gweithrediadau – pam dim ond un? Pam ddim gosgordd? Mae pob dim yn gymharol.

### 5) **Tylluanod y Nos**

Y noson honno, ceisiodd un o'r carcharorion ar y wing roi diwedd ar ei phoen meddwl trwy osod matras ei gwely ar dân. Clywsom weiddi mawr a chlychau'n canu, sŵn fel petai wardrob bychan metel y gell yn cael ei hyrddio yn erbyn y drws, a gwynt mwg, cyn bod popeth yn distewi a'r tân wedi ei ddiffodd. Y diwrnod wedyn aeth y carcharor druan o gwmpas yn ymddiheuro i'r gweddill ohonom am y twrw, ac yn derbyn dim byd ond cydymdeimlad oddi wrth bawb: 'O na, peidiwch â sôn, rwy wedi bod yn ddigon agos at wneud yr un peth fy hunan aml dro.' Ac yn wir nid oedd eisiau iddi ymddiheuro, gan fod digon o sŵn yn dod o'r tu fas i'r waliau yn ystod y nos, os nad o'r tu mewn. Tan oriau mân y bore, gwaeddai'r carcharorion at ei gilydd trwy gil ffenestri eu celloedd, fel tylluanod yn hwtian drwy'r nos. Ac yr oedd y Blodeuweddau gwyllt hyn yn ffraeth; ychydig oedd yn tarfu ar lifiant eu comedi du. Ar ôl digwyddiad y tân, clywais y ddeialog ganlynol: 'Oi! oi! oi! be sy'n mynd 'mlaen ar Asgell A?' 'Emma sy'n ceisio cyflawni hara-kiri.' 'Hara-kiri neu karaoke ddwedest ti?' 'Ie, ie, mae'n lladd ei hun yn ceisio gwneud y karaoke.'

6) **Y Gyffes**

Cinio canol dydd yr ail ddiwrnod, daeth swyddog i mewn i'r lle bwyta yn gweiddi: 'Aaron, Aaron, yw'r arian yna yn eich bag yn eiddo i chi?' 'Ydy!' atebais innau'n reit ddig, gan feddwl 'Be 'dy hyn? Rwy'n cael fy nghyhuddo o ddwyn yn awr!' Rhyw deirawr wedi hynny, roeddwn yn glyd yn y gell, yn trafod posibiliadau ailddyfodiad y meirwon gyda fy nghyd-garcharor (rhoddai hi ei ffydd yn y gobaith y byddai'n cael dychwelyd i ailredeg ei gyrfa yn y byd hwn ar adeg pan fyddai canabis yn gyfreithlon, a'i phroblemau hi felly i gyd drosodd). Agorwyd y drws yn sydyn a chefais orchymyn i bacio fy mocs ar unwaith. Wrth 'gyffesu' (dyna'u gair) mai f'eiddo i oedd fy arian, yr oeddwn yn ddiarwybod wedi agor y ffordd i'r swyddogion i fynd trwy'r broses o dalu gweddill fy nirwy o 'mhwrs oedd yn eu meddiant, heb fy nghaniatâd i. Mae'n debyg fod hyn yn gyfreithlon mewn carchar, lle mae'r rheolau i gyd yn wahanol.

7) **Casgliadau**

Yr hyn yr ydwyf wedi ei ddysgu, felly, yn ystod fy ngyrfa addysgiadol yn Pucklechurch yw:

a) Mae gen i ormod o arian.

b) Gellir trawsnewid pob rheol mewn chwinciad, a'n gosod yn rhydd.

c) Ychydig bach o bethau sy'n bwysicach i iechyd ysbryd yr hil ddynol na chadw'i gafael ar ei hiaith.

50c

# y TAFOD

HYDREF 91

cefnogwch alun a branwen wrth ddod i'r cyfarfod cyffredinol

Llun: Marian Delyth

# BLWYDDYN O GARCHAR

am fynnu dyfodol i'n cymunedau

Branwen Niclas ac Alun Llwyd ar glawr y Tafod

# Branwen Niclas

*Bu Branwen Niclas yn gadeirydd ar y Gymdeithas rhwng 1998 a 2000. Fe'i carcharwyd yn 1991, ar y cyd ag Alun Llwyd, am ei rhan yn yr ymgyrch Deddf Eiddo. Yn ystod Eisteddfod Genedlaethol Abergele yn 1995, torrodd Branwen a Sioned Elin i mewn i swyddfa etholaeth Rod Richards, yr Is-ysgrifennydd yn y Swyddfa Gymreig, i brotestio yn erbyn polisïau addysg llywodraeth Geidwadol John Major.*

*Cyhoeddwyd yr erthygl isod am yr achos llys a ddilynodd yn y Tafod yn 1996, gan gynnwys araith Branwen am ei dyheadau am addysg ei mab. Diddorol yw nodi'r cyfeiriad at 'Ferched Peryglus' yn y pennawd.*

**Merched Peryglus yn Herio Rod Richards dros Ryddid i Gymru mewn Addysg**

Yn ystod yr Eisteddfod yn Abergele llynedd, torrodd Branwen Nicholas a Sioned Elin i fewn i Swyddfa Etholaeth Rod Richards, yr Is-Ysgrifennydd yn y Swyddfa Gymreig, i brotestio yn erbyn polisïau addysg y Toriaid.

Roedd Rod Richards wedi gwrthod, dro ar ôl tro, derbyn deiseb addysg y Gymdeithas, ac felly yr unig ffordd o fynnu ei fod yn talu sylw i ddymuniadau pobl Cymru oedd mynd â'r ddeiseb at ei swyddfa yn bersonol.

Dyma araith Branwen Nicholas i Ynadon Abergele yn yr achos llys a ddilynodd ym mis Tachwedd, lle mae'n esbonio ei rhesymau hi dros ymgyrchu gyda Chymdeithas yr Iaith dros Ryddid i Gymru Mewn Addysg.

Ddydd Llun, mi fydd fy mab i'n dair oed, ac yn dechrau yn yr Ysgol Feithrin. Bydd yn dechrau cyfnod newydd yn llawn cyfleoedd a phrofiadau newydd. Fel mam, yn naturiol, 'dwi yn llawn dyheadau a gobeithion wrth iddo fentro i'r system addysg a chymryd un o'r camau mwyaf yn ei fywyd.

Mi hoffwn y sicrwydd y bydd ysgol Cai yn ysgol gymunedol gref â dyfodol diogel ac y bydd yn derbyn addysg gyflawn Gymraeg. 'Dwi eisiau i Cai a'i gyfoedion fedru derbyn addysg berthnasol fydd yn fodd iddynt ddatblygu meddwl agored, dadansoddiadol. Hoffwn feddwl amdanynt yn magu persbectif eang ar fyd ac ar fywyd, persbectif wedi ei seilio ar werthoedd a phrofiadau eu cymuned. Byddai'n braf petaent yn cael eu hannog i gydweithio a chydgyfrannu, a hynny mewn ysgol hapus ag adnoddau digonol.

Yn anffodus, fel y gwyddom, nid dyna ydi'r realiti yn ein hysgolion, gydag athrawon yn gorfod ymdrechu a brwydro o dan amgylchiadau anodd a digefnogaeth. Mae natur yr addysg yn newid yn flynyddol a'r plant yn mynd yn fwyfwy o fictims i agenda gudd y Toriaid yng Nghymru. Magu cymdeithas o bobl ddylai fod pwrpas addysg, ac nid canolbwyntio ar gynhyrchu cyfrifiaduron a pheiriannau ateb ffôn yr Unfed Ganrif ar Hugain.

Taswn i heb weithredu mi faswn i'n derbyn yn dawel y math o ddyfodol addysgol mae'r Blaid Dorïaidd yn ei wthio ar Cai, ei ffrindiau, a holl blant a phobl ifanc Cymru. Mi fyddwn yn euog o gynnal y sustem anghyfiawn ac annemocrataidd bresennol. Dyna'r rheswm, felly, y torrais i i mewn i swyddfa Rod Richards fis Awst a dyna pam yr ydym fel Cymdeithas yn galw am Drefn Addysg Annibynnol a Democrataidd i Gymru. Ac nid breuddwyd rhiant ddylai hynny fod, na delfryd gwleidyddol, ond nod realistig a hawl naturiol plant y presennol a'r dyfodol.

Branwen Nicholas
Llys Ynadon Abergele
Tachwedd 17eg, 1995

Wedi'r achos llys, aeth Branwen a Sioned, a'r cefnogwyr oedd yn y llys, draw unwaith eto i swyddfa Rod Richards ym Mae Colwyn, a meddiannu'r adeilad am rai oriau, gan lansio posteri newydd Grŵp Addysg Cymdeithas yr Iaith — ROD RICHARDS: UNBEN ADDYSG CYMRU.

# Siân Howys

*Bu Siân Howys yn gadeirydd ar y Gymdeithas rhwng 1989 ac 1990. Dyma ei hatgofion o ffurfio'r grŵp 'Merched Peryglus' gyda'r nod o annog ystyriaeth o rôl merched yn y Gymdeithas.*

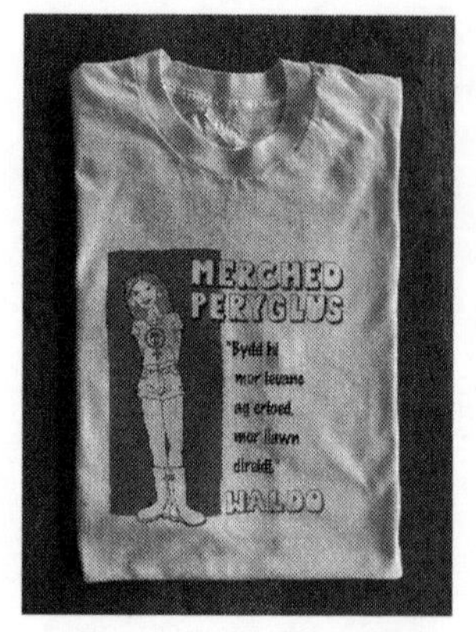

Y crys-T Merched Peryglus a ddarluniwyd gan Catrin Meirion

**Merched Peryglus**

Canol y nawdegau oedd hi, a'r peth mwyaf arwyddocaol i mi yn bersonol oedd fy mod newydd ddod yn fam. Erbyn hynny, roeddwn wedi bod yn aelod gweithgar o'r Gymdeithas ers degawd a mwy; wedi bod yn gweithio i'r Gymdeithas fel trefnydd yn y gogledd ac wedi bod yn gadeirydd ac yn is-gadeirydd cenedlaethol, yn arweinydd grŵp ac yn swyddog rhanbarth ac wedi gweithredu tor cyfraith ac annerch ralïau sawl tro. Roeddwn yn ymwybodol iawn bod merched wedi chwarae rhan flaenllaw iawn yn ymgyrchoedd y Gymdeithas o'r cychwyn, ac ymysg fy ffrindiau pennaf roedd merched eraill yn y Gymdeithas – Branwen ac Angharad a Charli a Haf.

Y cwestiwn yn fy meddwl oedd sut oeddwn i yn mynd i ddal ati i ymgyrchu yn wyneb fy nghyfrifoldebau newydd fel rhiant? Doeddwn i ddim eisiau cefnu ar weithgaredd y Gymdeithas wrth i fy amgylchiadau personol newid. Roeddwn i eisiau parhau i allu gwneud cyfraniad o bwys i waith y mudiad chwyldroadol gwerthfawr yma. Roedd yn gwestiwn ymarferol ond emosiynol a meddyliol hefyd yn wyneb rhai o'r heriau sy'n gallu bod ynghlwm wrth ymgyrchu, heb sôn am fod yn rhiant newydd!

Yn hynny o beth, roeddwn eisiau rhoi ystyriaeth benodol i rôl merched yn y Gymdeithas fel merched; beth oedd persbectif merched, a beth oedd yr ystyriaethau penodol i ferched o ran athroniaeth y dull di-drais? Nid pawb oedd yn cytuno bod angen gwneud hyn, ac roedd rhai yn cwestiynu a oedd yn iawn gwneud hyn o gwbl – onid oeddem yn creu rhwygiadau ac yn tynnu sylw oddi ar ymgyrchoedd craidd? Ond i rai ohonom, roedd yna faterion i'w trafod a'u gwyntyllu er na fu unrhyw fwriad i sefydlu adran menywod ffurfiol fel y cyfryw.

Ar gyfer cyfarfod cyffredinol 1995, lluniwyd crys-T Merched Peryglus a defnyddio geiriau enwog Waldo yn ei gerdd wrth ddisgrifio'r iaith Gymraeg fel ein slogan, a dyma rai ohonom yn ei wisgo wrth gerdded i'r blaen. Y syniad mewn gwirionedd oedd dathlu cyfraniad merched i frwydr yr iaith ac ysbrydoli eraill i ymuno ac i godi llais, gan hefyd wrth gwrs fwynhau tipyn bach o bryfocio.

Siân Howys, Haf Elgar a Charli Williams ar stondin y Gymdeithas yn yr Eisteddfod Genedlaethol

Rai misoedd wedyn, trefnais noson o drafodaeth a gwahodd rhai merched a fu yn flaenllaw yn y Gymdeithas mewn cyfnodau cynt. Rwy'n cofio gwrando ar Meg Elis a Menna Elfyn yn nhop y Cŵps. Rhyw rannu profiad, ac unwaith eto y thema o ddathlu ac annog dyfalbarhad oedd yn fy ngyrru i drefnu hyn. Yn sicr, roedd brwydrau merched Greenham yn rhan o'r cyd-destun wrth gwrs.

Byrhoedlog mewn gwirionedd fu'r ffocws ar Ferched Peryglus yn yr ysbryd uchod. Ond gwnaethpwyd rhai newidiadau pwysig er lles estyn cyfleoedd i bawb, fel sicrhau bod cyfleusterau addas wedi eu trefnu ymlaen llaw ar gyfer gofal plant mewn cyfarfodydd Senedd ac mewn digwyddiadau preswyl neu yn gyffredinol, a bod amodau gwaith staff yn cydnabod cyfrifoldebau rhiant. Yn amlwg, mae merched o bob oed ac o bob sefyllfa wedi parhau mewn swyddogaethau arweiniol a dylanwadol yn y Gymdeithas ar hyd y blynyddoedd, ac mae hynny yn destun balchder mawr.

# Haf Elgar

Ymunes i â'r Gymdeithas gynta yn Eisteddfod Aberystwyth (1992) pan oeddwn i bron yn dair ar ddeg. Roeddwn i eisiau ymuno'n gynt – wedi fy ysbrydoli gan ferched cryf a phenderfynol fu yn y carchar fel Branwen Niclas ac Angharad Tomos – ond braidd yn ifanc i wneud a fy rhieni'n awyddus i sicrhau 'mod i'n deall egwyddorion a daliadau'r Gymdeithas cyn ymuno. Doedd neb o fy ffrindiau'n weithgar yn y Gymdeithas ar y pryd, ond roedd ymwybyddiaeth wleidyddol yn amlwg yn y teulu pan oeddwn i'n ferch fach yn yr wythdegau – o streic y glowyr i foicotio nwyddau De'r Affrig oherwydd apartheid, a'r frwydr gyson am ragor o ysgolion Cymraeg yn Abertawe. Ac o ran gweithredu dros yr iaith roeddwn i'n falch o Mam am fod wedi bod yn y carchar dros sianel Gymraeg, a fy mam-gu am fod yn rhan o gynlluniau Penyberth.

Ychydig dros flwyddyn wedi ymaelodi dyma fi'n teithio o amgylch Cymru yn ystod wythnos hanner tymor Hydref '93 yn gweithredu, gigio, protestio a thrafod ar daith Rhyddid i'r Ifanc gyda fy ffrind gorau, Esyllt Williams, a dwy ferch ysgol arall – Angharad Clwyd ac Elin Mared. Roedd hi'n wythnos arbennig wrth i mi gael fy nhrwytho mewn pob math o ymgyrchu, ac yn addysg wleidyddol benigamp, gan ddysgu gan aelodau ifanc eraill fel Iwan Standley a Lleucu Meinir, a gan rai o aelodau profiadol y Gymdeithas gan gynnwys Ffred Ffransis, gyda Sioned Elin ac Aled Davies yn gofalu amdanom drwy'r cyfan. Cawsom gymaint o anturiaethau, cwrdd â ffrindiau oes (Fflur, Lowri a chriw Ysgol Dyffryn Teifi ar fws mini liw nos) ac wrth gwrs, dawnsio i Tŷ Gwydr bob nos!

Erbyn hynny roeddwn i ac Esyllt ar bwyllgor trefnu gigs Eisteddfod Glyn-nedd '94, ac ymunon ni â Senedd y Gymdeithas yn bedair ar ddeg oed, fi yn swyddog ieuenctid Morgannwg a Gwent dan adain ofalus Charli – Charlotte Williams – oedd yn swyddog datblygu (dwi ddim yn siŵr o'r teitl) i'r Gymdeithas ac yn teithio o amgylch i'n cefnogi ni i redeg gweithdai, sefydlu celloedd ysgolion, trefnu digwyddiadau, ac yn y blaen. Doedd dim llawer o weithgaredd gwleidyddol ymysg ysgolion Abertawe ar y pryd (canol y nawdegau), ond roedd cwrdd ag aelodau gweithgar o ysgolion ledled siroedd Morgannwg a Gwent yn hwb mawr.

Ond ar y cyfan nid gweithgaredd 'ieuenctid' oedd canolbwynt fy ngweithredu gyda'r Gymdeithas yn fy arddegau. Dyna un o fy hoff bethau am fod yn rhan o'r Gymdeithas – doedd oed ddim yn rhwystr nac yn ymddangos yn berthnasol o gwbl, gyda phobl o amrywiaeth eang o oedrannau yn 'gyfoeswyr' a chyd-weithwyr i mi ar Senedd y Gymdeithas.

Haf yn Swyddfa'r Gymdeithas, Pen Roc, Aberystwyth, tua 1994

Rali Ildiwch i'r Gymraeg, Eisteddfod Genedlaethol 1996 neu 1997, y tu allan i stondin Bwrdd yr Iaith

Roedd hi fel cael teulu mawr estynedig ar draws Cymru (er, ma' genna i un o'r rheini hefyd!), ac roeddwn i'n aml yn cael lifft i Aber ar gyfer penwythnos Senedd, rali neu Cyf Cyff gyda sach gysgu dan fy mraich, y DMs mawr coch am fy nhraed, a dim cynllun yn y byd, ond yn cael croeso a lle i aros bob tro. Doeddwn i byth yn poeni a wastad yn teimlo'n ddiogel gyda chriw y Gymdeithas yn gofalu amdana i.

Roedd nifer o fenywod fel chwiorydd mawr a mentoriaid answyddogol i fi yn y cyfnod yna, ac yn ogystal â sgiliau ymgyrchu ymarferol, magwyd ynof ymwybyddiaeth o achosion ac ymgyrchoedd ledled y byd, egwyddorion cadarn, anogaeth i gwestiynu a herio awdurdod a dealltwriaeth o'r cydgysylltiad rhwng iaith, cymuned, pŵer a systemau gwleidyddol – fel bod yn 'rhaid i bopeth newid' os yw'r Gymraeg i fyw.

Ac mae'n rhaid i mi dalu teyrnged yn arbennig i Siân Howys – menyw gref, egwyddorol, ac un o'r areithwyr gorau i mi eu gweld – oedd o'r cychwyn cyntaf yn fy nghefnogi a fy annog, ac sy'n rhywun rydw i'n cael llawer o hwyl yn ei chwmni hyd heddiw!

Yn y blynyddoedd cynnar roeddwn i'n ymwybodol o fenywod cryf yn y Gymdeithas, ond heb gysylltu rhywedd a ffeministiaeth fel materion perthnasol i'r Gymdeithas a'r iaith. Ond dwi'n cofio yn ystod egwyl un Cyf Cyff yn y Talbot yn Aberystwyth ('95?) pan wnaeth criw o ferched ddatgelu cynnwys bocs oedd dan y bwrdd – crysau-T gyda 'Merched Peryglus' a geiriau Waldo, 'mor ieuanc ag erioed, mor llawn direidi', arnynt. Y bwriad oedd ymddangos yn y crysau-T a thorri ar draws y Cyf Cyff yn y prynhawn, gan lansio grŵp Merched Peryglus o fewn y Gymdeithas i dynnu sylw at fenywod arwyddocaol yn ei hanes ac i wella statws a rôl menywod yn y mudiad. I fi, roedd bod yn rhan o chwaeroliaeth o fewn y mudiad yn rhan o symudiad 'girl power' y nawdegau.

Dros y blynyddoedd nesa bues i'n ysgrifennydd a chadeirydd y Grŵp Statws, ac yn ysgrifennydd y Grŵp Diwylliant ar Senedd y Gymdeithas. Ces i'r fraint o arwain ymgyrch 'Ildiwch i'r Gymraeg' (gan gynnwys taith o amgylch Penrhyn Gŵyr ar noson o leuad lawn gyda fy mam a'm chwaer, stensil 'Ildiwch', stôl a chan o baent), dros Ddeddf Iaith newydd, ac ymgyrchu dros ail sianel radio Gymraeg. Ac yn y blynyddoedd rhwng refferendwm datganoli '97 a sefydlu'r Cynulliad, gwthio i sicrhau fod cyfieithu ar y pryd a darlledu dwyieithog o'r siambr ar y cyfryngau. Erbyn hyn roeddwn i yn y brifysgol yn Aberystwyth, a dwi'n cofio ysgrifennu nodyn i'w adael yn nhwll colomen darlithydd yn yr Adran Gymraeg i egluro 'mod i'n colli darlith y diwrnod wedyn er mwyn mynd i Gaerdydd i gwrdd â phenaethiaid S4C! Fe ges i faddeuant am y fath esgus dilys.

Ac wrth gwrs, y Gymdeithas oedd canolbwynt fy mywyd cymdeithasol yn y nawdegau. Roedd bywyd yn cylchdroi o amgylch trefnu a mynychu gigs – teithio i unrhyw le yn y gorllewin ar benwythnos i weld Gorky's, DOM neu Datblygu, gigs Nadolig chwedlonol Feathers

Aberaeron, ac wrth gwrs, yr Eisteddfod bob blwyddyn, gan gyfuno stiwardio yn y nos, helpu ar y stondin neu drefnu digwyddiadau yn ystod y dydd ac aros lan yn hwyr yn y gorlan neu'r garafán.

Doeddwn i ddim yn berson hunanhyderus, yn wir roeddwn i'n reit swil yn fy arddegau a ddim yn amlwg yn yr ysgol. Ond gydag anogaeth ac esiampl bositif menywod y Gymdeithas, roeddwn i'n fodlon siarad o flaen cyfarfod cyffredinol neu rali, cadeirio cyfarfodydd, a gweithredu. Roeddwn i'n teimlo bod gan yr arwresau yma oedd yn awr yn gyfeillion – Siân, Charli, Branwen, Angharad, Elin Haf ac eraill – hyder ynof ac felly bod gen i'r gallu a'r hawl i gael dweud fy nweud a chwarae rhan yn newid y drefn.

Yn sicr, diolch i'r Gymdeithas rydw i'n ymgyrchydd ac y bydda i am byth.

# Yr unfed ganrif ar hugain

Yn 1993 daeth yr ail Ddeddf Iaith i rym a oedd yn sicrhau bod rhai gwasanaethau ar gael drwy'r Gymraeg yn y sector gyhoeddus, ond doedd hyn ddim yn rhoi statws swyddogol i'r Gymraeg nac yn effeithio ar y sector breifat. Roedd ymgyrchu i gael gwasanaethau drwy'r Gymraeg yn y sector breifat – er enghraifft, gwasanaethau bancio – wedi dechrau yn yr ugeinfed ganrif, ond bu rhagor o ymgyrchoedd gweithredu uniongyrchol yn targedu'r sector breifat, megis cwmnïau cyfrifiadura, archfarchnadoedd a banciau, yn y ganrif newydd. Wrth i bwysigrwydd gwasanaethau a chyfathrebu ar-lein dyfu, agorodd maes newydd o ymgyrchu a gwelir hyn yn y cyfeiriadau at dechnoleg yn yr atgofion o'r cyfnod hwn. Mae'n drist gweld, fodd bynnag, bod diffyg gwasanaeth Cymraeg y Swyddfa Bost yn dal i godi, bron i 50 mlynedd wedi protest gyntaf y Gymdeithas yn Swyddfa Bost Aberystwyth.

Ymgyrch Deddf Iaith i'r Ganrif Newydd a oedd yn pwysleisio pwysigrwydd y Gymraeg yn y chwyldro technolegol, 2001

Bu newid mawr arall a gafodd effaith sylweddol ar ymgyrchoedd y Gymraeg er 1999, sef datganoli a sefydlu Cynulliad Cenedlaethol Cymru. Gwelir mwy o sôn felly am lobïo a delio â gwleidyddion yn y cyfnod hwn. Mae gweithredu'n uniongyrchol yn dal i fod yn bwysig er hyn, wrth i'r Gymdeithas brotestio yn erbyn bygythiadau i S4C, dros sefydlu coleg ffederal Cymraeg i ddarparu addysg uwch drwy'r Gymraeg, ac yn fwy lleol, yn erbyn cynlluniau Prifysgol Aberystwyth i gau neuadd breswyl cyfrwng Cymraeg Pantycelyn. Er i Fesur y Gymraeg (2011) roi statws swyddogol i'r Gymraeg yng Nghymru am y tro cyntaf, cynyddodd y pwysau ar gymunedau Cymraeg wrth i'r iaith golli tir yn ei chadarnleoedd traddodiadol. Felly, gwelir yr ymgyrchoedd yn erbyn tai haf yn dod i'r amlwg eto, ynghyd â galwadau am dai fforddiadwy.

Mae'r merched erbyn hyn yn fwy ymwybodol o'u statws yn y gymdeithas ehangach ac yn gwerthfawrogi'r Gymdeithas fel gofod lle maent yn gyfartal. Mae rhagor o ymwybyddiaeth o amrywiaeth ac, er bod y rhan fwyaf o aelodau Senedd y Gymdeithas yn dal i fod yn wyn a chydryweddol (*cis-gender*), mae'r aelodaeth yn newid wrth i gymdeithas Cymru newid. Wrth gwrs, mae rhai o'r hen bwysau ar ferched yn parhau – cyfrifoldeb am blant, er enghraifft – ond efallai fod arwyddion eu bod nhw'n cael eu rhannu'n fwy cyfartal.

# Menna Machreth

*Bu Menna'n gadeirydd ar y Gymdeithas rhwng 2008 a 2010.*

Dwi ddim yn meddwl i mi roi llawer o feddwl i ferched yn y Gymdeithas, nac mewn gwleidyddiaeth efallai, tan i mi brofi rhywiaeth wrth ymgyrchu. Nid tu mewn i'r Gymdeithas oedd hyn, ond wrth drio gwthio'r maen i'r wal ar un ymgyrch arbennig.

Roedd yr ymgyrch wedi troi'n bolisi llywodraeth, ac roedd rhyw fath o weithgor ymgynghorol bondigrybwyll wedi ei sefydlu i edrych i mewn i'r mater. Gwahoddodd cadeirydd y gweithgor fi ac aelod (gwrywaidd) o'r Gymdeithas am baned o de, gan ddweud ei fod yn awyddus i ni gael lle ar y gweithgor oherwydd gwaith polisi manwl y Gymdeithas yn y maes. Dywedodd ei fod eisiau i un ohonom fod yn rhan o'r gweithgor, a gofyn yn benodol i fy nghyd-ymgyrchydd (gwrywaidd) gynrychioli'r Gymdeithas.

Dwi'n cofio meddwl ar y pryd, pam nad oedd wedi gadael i ni benderfynu pwy oedd ar y gweithgor ar ran y Gymdeithas? Fe ymddiheurodd i fi na allai gynnig lle i fi yn ogystal, a dywedodd na allai gynnig rheswm pam ei fod eisiau'r aelod arall ac nid fi. Yn ein golwg ni, yr unig wahaniaeth oedd bod un ohonom yn ddyn a'r llall yn ferch. Doedd gen i fawr o ots ar y pryd – roedd gen i ddigon ar fy mhlât fel cadeirydd y Gymdeithas a doedd pwyllgor arall ddim yn apelio rhyw lawer!

Dyna'r profiad mwyaf uniongyrchol o rywiaeth a gefais i, mae'n siŵr, ond fe sbardunodd fi i ystyried profiadau merched wrth ymgyrchu. Yn 23 oed ac yn gadeirydd y Gymdeithas, i'r byd roeddwn i'n edrych fel merch ifanc iawn, giwt yr olwg ... rwy'n cofio'r Toriaid yn San Steffan yn dweud: 'Pa brofiad sydd gan hon o'r sector breifat?' pan oeddwn i'n galw am fesur iaith a fyddai'n rhoi hawliau i ddefnyddio'r Gymraeg tu hwnt i wasanaethau cyhoeddus. Ar y llaw arall, fel cadeirydd cefais gyfleon digynsail wrth siarad ar ran y Gymdeithas ar y teledu a'r radio ac wrth i'r cyfryngau digidol egino; roeddwn i'n tybio bod hyn achos fy mod yn helpu i gael 'chydig o gyfartaledd o ran rhywedd ar y sgrin, ond efallai fod ganddo fwy i'w wneud â sgiliau ein swyddog cyfathrebu gwych, Colin Nosworthy.

Yn y Gymdeithas, roedd llu o ferched gweithgar gydag agwedd o fynd amdani, oedd yn ysbrydoliaeth gyson, ond hefyd roedden nhw yna i gefnogi ac annog pan fyddai fy hyder yn gwegian, a doedd y Gymdeithas ddim yn brin o ddynion oedd yn gwneud hynny hefyd! Ble bynnag yr ydyn ni, mae codi lleisiau sy'n dod â phrofiadau gwahanol i'r bwrdd yn hollbwysig.

Wrth gwrs, doeddwn i ddim eisiau stopio ymgyrchu ar ôl dod yn fam. Rwy'n chwerthin pan welaf lun ohonof yn annerch protest yn erbyn cwtogi cyllid Canolfannau Trochi Iaith Gymraeg tu allan i Gyngor Gwynedd. Roeddwn i 8 mis yn feichiog, a fy mab 2 oed yn mynnu fy mod i'n ei gario (roedd hi'n tywallt y glaw hefyd), a finnau ar yr un pryd yn trio siarad mewn i'r uchelseinydd a llywyddu'r brotest. Ro'n i'n falch pan gynigodd rhywun ddal fy mab!

Menna yn y rali gyda'i mab

Ymgyrch Mesur Iaith Cyflawn - protest y tu allan i swyddfeydd newydd y llywodraeth yn Aberystwyth, Hydref 2008. Arestiwyd y Cadeirydd, Menna Machreth; yr Is-Gadeirydd, Rhys Llwyd; arweinydd yr ymgyrch Deddf Iaith, Bethan Williams; Cadeirydd Cell Pantycelyn, Siriol Teifi; a dau fachgen yn eu harddegau, am beintio wal gyda sloganau a'u llofnodi. (Llun: Aled Griffiths)

Hyn a hyn fedr pawb ei wneud, ac mae hi mor bwysig addasu digwyddiadau i'w gwneud hi'n haws i famau/rhieni gymryd rhan drwy gynllunio gofal plant yn ystod cyfarfodydd i hwyluso rhieni i gymryd rhan mewn gwaith gwleidyddol gwirfoddol.

Roeddwn i'n siarad mewn rali yn y Steddfod, ychydig fisoedd wedi'r digwyddiad yma. Doeddwn i ddim yn sylweddoli ar y pryd, ond roedd fy mab wedi estyn meicroffon ac yn sefyll ddim yn bell oddi wrtha i yn copïo fy ystumiau – ond diolch byth doedd ei feicroffon e ddim 'mlaen! Roeddwn i'n falch ei fod e'n fy ngweld i'n cymryd rhan lawn yn y rali, bod gweld merched yn arwain yn normalrwydd iddo, a'i fod e hyd yn oed eisiau dilyn ôl troed ei fam!

Cadog yn dilyn ôl troed ei fam

# Hazel Charles Evans

*Roedd Hazel Charles Evans yn addysgwraig, awdures a chymwynaswraig fawr i'r Gymraeg. Wrth amlinellu ei bywyd a'i gwaith ar gyfer y gyfrol hon, nododd: 'Rwy'n ddyledus iawn i Moelona oherwydd fe gafodd ei chyfrol o hanes Cymru ddylanwad anghyffredin arna i pan oeddwn yn blentyn yn Ysgol Gynradd y Bryn, Llanelli, yn niwedd y pedwardegau! Gwyddwn am enwogion Cymru a'u cyfraniad amhrisiadwy i'r genedl cyn mynd i Ysgol Ramadeg y Merched yn y dref lle'r oedd pob dim yn yr iaith Saesneg. Ymlaen i fod yn athrawes, ym Mhontrhydfendigaid i ddechrau ac i Hendy-gwyn ar Daf. Symud i Gwm Gwendraeth a chael fy mhenodi i fod yn athrawes ail iaith yn Ysgol Gyfun y Bryngwyn, Llanelli, lle bûm yn ymlafnio am ugain mlynedd. I Batagonia wedyn fel yr athrawes Gymraeg gyntaf o dan y Cynllun Dysgu Cymraeg oedd wedi ei noddi gan y Cyngor Prydeinig. Wedi ymweld â Phatagonia bedair gwaith ar ddeg. Wedi hel digon o bres yng Nghymru i godi Canolfan Gymraeg yn Esquel, yn Yr Andes. Wedi ac yn dal i gynnal oedfaon ar y Sul, yma a phan ar ymweliad â'r Wladfa. Yn yr wythdegau fe'm gwahoddwyd i addasu nofelau i ferched o'r Saesneg i'r Gymraeg. Roeddwn yn gyfrifol am dair cyfrol yng Nghyfres y Fodrwy o dan yr enw Elen Rhys. Mae gen i bedair nofel wreiddiol a hunangofiant. Ymddangosodd y nofel ddiwethaf yn 2006, sef, 'Glas'. Nofel yw hi â'r Wladfa yn gefndir iddi. Dyma'r unig nofel gyfoes sydd yn ymwneud â byw yn yr Andes!' Dyma addasiad o ran o'i hunangofiant,* Siwrne 13, *a gyhoeddwyd ganddi yn 2014. Bu farw Hazel yn 2021.*

**M&S Llanelli, 1995**

Mae saga M&S yn mynd yn ôl i ganol y nawdegau pan oeddwn yn athrawes ail iaith yn Ysgol Gyfun y Bryngwyn, Llanelli, ac yn cymell fy nisgyblion yn barhaus i sylwi ar arwyddion Cymraeg, boed ar y drafford, yn eu cymdogaeth neu mewn siopau ac archfarchnadoedd.

Roedd M&S yn Llanelli wedi adnewyddu'r adran fwyd o fewn y

siop ac wedi penderfynu anwybyddu'r Gymraeg yn llwyr! Rhaid oedd i rywun wrthwynebu'r penderfyniad a dyma ddechrau dal pen rheswm gyda'r rheolwr – llythyru, ymweld yn gyson â'r siop a gofyn a wnâi'r cwmni ystyried newid ei bolisi iaith. Penderfynu ysgrifennu wedyn at bencadlys M&S a ddigwyddai fod yn Baker Street, Llundain. Ai dim ond draenen bigog yn ystlys y cwmni oeddwn neu ddim byd amgenach na menyw ganol oed a gâi ei phlagio'n enbyd gan ei hormonau?

Blinais ddisgwyl a hynny ar ôl bod, yn fy marn i, yn hynod o amyneddgar a chwrtais. Protestio amdani. Ie, ymgyrchu. Felly gyda chymorth pedair o ferched dewr Cwm Gwendraeth, a hynny ar fore Sadwrn hynod o gofiadwy, dyna a wnaethpwyd. Rwy'n cofio'r munudau nerfus hynny yn sefyll ar y palmant yn sicrhau'r gwragedd nad oedd angen ofni am na allai neb eu cyhuddo o dor cyfraith nac o achosi difrod o unrhyw fath. Y cyfan roedden ni am ei wneud oedd llenwi ein trolis â phob math o nwyddau ac eithrio bwydydd o'r rhewgell. Felly i mewn i grombil y pum troli fe aeth tuniau o bob math a phacedi a photeli o bob maint. Mae'r gweddill yn hanes! Mynd yn hy' at y mannau talu a dweud nad oedden ni am brynu'r nwyddau wedi'r cwbl. Ein bod wedi ein siomi'n ddirfawr wrth weld nad oedden nhw wedi rhoi'r Gymraeg ochr yn ochr â'r Saesneg ac felly roedden ni am newid ein meddwl! Digon gwir nad achoson ni ddifrod o unrhyw fath, ond fe roddon ni goeled o waith i rywrai wrth eu gorfodi i wacáu cynnwys y pum troli a gosod yr holl nwyddau yn ôl yn eu priod le!

Plentynnaidd? Dros ben llestri? Eithafol? Gorffwyll? Disgysting? A gweddw gweinidog o bawb! Mwy disgysting fyth. Teimlwn yn eitha hyderus a ffyddiog achos roeddwn wedi trafod y syniad ychydig fisoedd ynghynt gyda neb llai na'r ddiweddar Marie James, Llangeitho, a hynny wrth erchwyn ei gwely yn Ysbyty Tregaron. Er y gwyddwn am ei bwrlwm a'i ffraethineb ar y radio, hwn oedd y tro cyntaf a'r olaf imi gael y fraint o'i chyfarfod. Yn fwy na dim roeddwn yn ymwybodol o'r cariad angerddol a feddai Marie James at ei bro a'i chenedl, ac o'i hargyhoeddiadau o ran y Gymraeg. Yn athrawes ysgol Sul, yn flaenores, yn emynyddes, yn un a frwydrodd yn ffyrnig dros ysgolion bach cefn gwlad, yn gynghorydd sir, yn flaenllaw gyda mudiadau fel y Ffermwyr Ifainc a Merched y Wawr, ni chawn neb gwell i drafod yr hyn y bwriadwn ei gyflawni. "Jiw! Ewch amdani," meddai â gwên radlon ar ei hwyneb. Dyma adael yr ysbyty y prynhawn hwnnw gyda sêl bendith rhywun a fynnodd sefyll dros ei hegwyddorion.

Fe gafwyd cyfiawnder i'r iaith oherwydd mewn llai na deufis yr oedd arwyddion dwyieithog bras yn cael eu harddangos yn yr adran fwyd, er mawr lawenydd i'r pump ohonom. A hyd yn oed os nad oedd hi'n weithred a ryngai fodd pennaeth yr ysgol, roedd Mrs Ifans yn dipyn o arwres yng ngolwg y disgyblion!

### M&S Caerfyrddin, Gorffennaf 2013

Cynhaliwyd pwyllgor o Gymdeithas yr Iaith yng Nghaerfyrddin i wneud y trefniadau terfynol ar gyfer y brotest fawr a fyddai'n cael ei chynnal y tu allan i M&S Caerfyrddin ar yr ugeinfed o'r mis. Roeddwn i eisoes wedi manteisio ar y ffaith fod gen i gyfeiriadau ac e-byst nifer o ysgrifenyddion capeli'r dalgylch ac wedi bod mor hy' â gofyn iddynt a fyddent yn fodlon rhoi cyhoeddusrwydd i'r digwyddiad.

Hazel yn annerch y rali

Trefnwyd bod y brotest i'w chynnal am hanner awr wedi un ar ddeg, a hynny o flaen prif fynedfa'r siop. Roeddwn i yno yn 'plismona' am tua hanner awr cyn hynny, yn sbecian i gael gweld pwy oedd o gwmpas. Fe ddaeth pobl fesul un a dau, rhai yn eofn a'r lleill yn llechwraidd ofnus. Erbyn yr awr benodedig roedden ni bron yn gant i gyd. Y fath groestoriad – tra bod yr arddegau yno yn anterth eu nerth gwelwyd ambell un ochr yn ochr â nhw yn rhoi eu pwys ar eu ffyn! Protest ddi-drais ydoedd yn unol â pholisi arferol Cymdeithas yr Iaith ac fe fedyddiwyd yr ymgyrch yn Ymgyrch METHIANT A SIOM, ie, M&S!

Roedden ni am weld yr arwyddion Cymraeg yn cael eu hailosod, gan gynnwys arwyddion dros do yn ogystal â rhai parhaol; roedden ni'n erfyn arnyn nhw i werthu cynnyrch lleol ac i labelu'r eitemau hynny fel cynnyrch o Gymru yn hytrach na chynnyrch Prydeinig. Awgrymwyd mai 'pants' oedd polisi iaith M&S a bod eu dirmyg at bobl leol mewn cymunedau Cymraeg fel Caerfyrddin yn amlwg. Roedden ni wedi mynd ati i hel rhyw gant a hanner o barau o drôns (rhai glân wrth gwrs) ac aethpwyd ati i'w rhoi ar raff hir gan amgylchynu'r siop a chyd-ddatgan 'M&S ... Methiant a Siom' drosodd a throsodd wrth ddosbarthu taflenni i'r sawl a gerddai heibio.

Peth cyfarwydd i Drefnydd Sir y Gymdeithas oedd dal uchelseinydd yn ei llaw, ond dyma'r waith gyntaf i mi annerch yn yr awyr agored. Peth cwbl wahanol oedd mynd o bulpud i bulpud ar y Sul lle na fyddai neb yn mynegi ar goedd ei fod yn cytuno neu'n anghytuno â'r hyn a ddywedwn!

Do, fe aeth y brotest ar fore o hafddydd yn ei blaen a phawb yn ffyddiog y byddai'r ymgyrch yn ddigon i gael cwmni M&S i newid ei bolisi iaith. Ond roedd rhagor i ddod a dim ond rhyw ddyrnaid ohonom a wyddai hynny!

Erbyn i fis Awst gyrraedd roedd selogion yr Eisteddfod wedi gwneud eu ffordd i Ddinbych heb un syniad beth fyddai'n digwydd yng Nghaerfyrddin ar y Sadwrn cyntaf o'r mis. Yn saith enaid cytûn, dau ddyn a phum merch, dyma gwrdd o flaen un o fynedfeydd M&S,

yn gwybod yn iawn beth oeddem am ei wneud. Llenwi ein trolis, ond y tro hwn, yn hytrach na gadael y nwyddau ynddynt a dweud a dweud nad oeddem yn dymuno eu prynu, dyma fynd at y mannau talu, rhoi holl gynnwys y troli ar y cludfelt a disgwyl i'r ariannydd oedd yn gyfrifol am y til gyhoeddi beth oedd y ddyled. Daeth gwên lydan dros wyneb y sawl a eisteddai ar y stôl-droi o'm blaen wrth iddo gyhoeddi yn yr iaith fain,' One hundred and twenty four pounds, please.' Oeddwn, roeddwn wedi gwiwera fy ffordd drwy'r siop gan fynd yn chwimwth o'r naill gownter i'r llall. Prysurais i egluro, yn Gymraeg, wrth gwrs, nad oedd yn fwriad gen i dalu am y nwyddau, dim ond i glywed y dyn yn mwmial mai Saesneg yn unig a siaradai. Doedd dim amdani ond troi i'r iaith fain ac esbonio'r cyfan iddo. Canodd yntau'r gloch a chyn pen fawr o dro roedd un o'r goruchwylwyr yn ei gwneud hi'n syth amdana i. Dyna hanes y chwech arall hefyd a fu'n gefn i mi ac yn deyrngar i'w hargyhoeddiadau. Safem yn un gŵr a ninnau

Y rali pants yng Nghaerfyrddin

wedi ein hel at y drws. Allai neb ein cyhuddo o unrhyw ddifrod, ond yr oeddem wedi peri trafferth ac wedi rhwystro busnes rhag mynd yn ei flaen. Pryd o dafod a gawsom felly! Ond roedd yr heddwas a ymddangosodd o rywle yn fud! Pawb i'w ffordd gan fawr obeithio y byddai'r weithred hon o'n heiddo yn dwyn ffrwyth ar ei chanfed a hynny cyn hir.

Afraid dweud fy mod yn falch o gael fy nhraed yn rhydd a minnau wedi ymrwymo i weinyddu'r Cymun mewn oedfa yn Llanelli fore trannoeth ...

Mae rhywun yn gofyn a ddaeth rhywbeth o hyn i gyd. Naddo, mewn gwirionedd. Digon gwir y gwelir ambell arwydd Cymraeg yn y siopau hyn, ond o safbwynt y Food Hall, yn hytrach na gosod y Gymraeg ochr yn ochr â'r Saesneg uwchben y cynnyrch penderfynodd y cwmni gael gwared ar y labeli i gyd! Ond credaf fod M&S Aberystwyth wedi penderfynu parchu'r Gymraeg, diolch am hynny!

O edrych yn ôl bu gweithio dros y Gymraeg yn yr Andes yn haws nag yn fy milltir sgwâr!

# Bethan Williams

*Bu Bethan yn gadeirydd ar y Gymdeithas rhwng 2010 a 2013. Mae hi wedi gweithio i'r Gymdeithas fel Swyddog Maes, Swyddog Cyfathrebu a Chyswllt Gwleidyddol a Swyddog Ymgyrchu.*

Bethan (yn y canol) yn arwain rali yn 2012 gyda Siân Howys a Robin Farrar (llun: Marian Delyth)

Er i fi fynd i ysgol ddwyieithog, Saesneg oedd i'w chlywed tu fas i ddosbarthiadau fwy na heb. Roedd rhai ohonon ni'n siarad Cymraeg â'n gilydd weithiau ac yn cael ein gweld yn od, yn destun gwawd a chwerthin. Mae'n siŵr bod hynny wedi gwneud i mi werthfawrogi'r Gymraeg yn fwy a bod eisiau gallu'i defnyddio'n fwy. Felly pam na fyddwn i wedi ymaelodi â'r Gymdeithas?

Mae'n siŵr bod ymaelodi yn ffordd o deimlo 'mod i'n perthyn i rywbeth hefyd. Er bod gen i ddiddordeb mawr mewn mudiadau amgylcheddol, hawliau anifeiliaid ac ati, roedden nhw'n rhywbeth amhersonol lle'r oedd Cymdeithas yr Iaith yn weledol a pherthnasol i 'mywyd bob dydd – roedd e'n rhywbeth roedd pobl o 'nghwmpas i'n siarad amdano, yn bosteri ar arwyddion ffyrdd, yn ddigwyddiadau ac yn stondin yn yr Eisteddfod ble gallwn i weld a siarad gyda phobl debyg i fi.

Mae pob ymgyrch yn sefyll yn y cof, ond y bobl sy'n eu cadw'n y cof. Yr ymgyrch amlycaf falle yw honno dros S4C rhwng tua 2010 a 2012. Er 'mod i'n gwybod yr hanes, dyna pryd daeth y cyfan yn fyw, cymaint oedd wedi'i ennill trwy ymdrech ac aberth ymgyrchwyr blaenorol. Daeth rhai o'r ymgyrchwyr gwreiddiol dros y Sianel yn rhan o'r ymgyrch, a synnais i gymaint roedden nhw'n ddiolchgar i ni am ymgyrchu nawr, am 'bopeth' yr oedden ni'n ei wneud, er eu bod nhw wedi gwneud cymaint mwy na ni, ac mai iddyn nhw roedd y diolch go iawn.

Mae'n cliché a dwi'n freintiedig falle, ond wnes i erioed ystyried fod unrhyw beth yn wahanol amdana i am fy mod yn ferch. Alla i ddim cofio cael fy nhrin yn wahanol gan unrhyw un yn y Gymdeithas, na chwaith gan unrhyw ferch arall. Roedd yr un cyfleoedd i ni mewn cyfarfodydd mewnol ac allanol ac wrth weithredu.

Bethan ar do Neuadd Pantycelyn fel rhan o'r ymgyrch i atal Prifysgol Aberystwyth rhag ei chau

Dim ond wrth edrych 'nôl ac ystyried drwy lens 'bod yn ferch' ydw i'n sylweddoli mai merched ym myd y dynion gwyn canol oed oedden ni ymgyrchwyr benywaidd – yn wleidyddion, ymchwilwyr a swyddogion cwmnïau a sefydliadau. Ond doeddwn i ddim wrthyf fy hun. Mae rhestr hir o ferched cryf (yng ngwir ystyr y gair, nid yr ystyr gorfforol) wedi bod ac yn dal i fod yn rhan o'r Gymdeithas. Un o'n cryfderau ni yw bod merched yn gydradd.

Does dim un atgof penodol sy'n sefyll ar ei ben ei hun, ond gyda phob atgof mae rhywun neu rywrai sydd wedi cyfrannu i'r Gymdeithas neu i'm rhan i yn y Gymdeithas. Mae cyfoeth o bobl yn rhan o'r Gymdeithas a ddysgodd gymaint i fi, yng nghyd-destun ymgyrchu, ie, ond tu hwnt i hynny hefyd. Nid pobl sy'n rhan o fudiad ymgyrchu ydyn nhw ond pobl sydd wir yn credu mewn cydsefyll ag eraill er mwyn ennill rhyddid i ni i gyd, ac yn ceisio rhoi hynny ar waith yn eu bywyd bob dydd.

# Leia Fee

Leia mewn digwyddiad yng Nghaerdydd

'Nes i ymuno â'r Gymdeithas fel dysgwraig ar ôl siarad gyda phobl o'r mudiad yn rhywle fel yr anghynhadledd Hacio'r Iaith. Sylweddolais fod isio i fi roi fy amser ac arian ble mae fy ngheg i gefnogi'r iaith o'n i'n ei dysgu er mwyn rhoi'r un cyfle i bobl yn y dyfodol.

Do'n i ddim wedi gwneud unrhyw ymgyrchu cyn ymuno, felly roedd y brotest gyntaf 'nes i fynd iddi yn dipyn o gyffro i mi – llenwi stondin y llywodraeth leol gyda channoedd o dai papur ar faes Steddfod Bodedern i brotestio yn erbyn y prinder o dai cymunedol ar gyfer pobl leol ym Mangor.

Mae'n fudiad da i fod yn ferch ynddo achos mae teimlad o solidariaeth gydag achosion hawliau eraill y byd fel gwrth-hiliaeth a ffeministiaeth. Heledd oedd y cadeirydd pan ymunais i, a dw i'n cofio cael fy synnu tipyn bach gan faint o ferched oedd ar Senedd y Gymdeithas.

Yr atgof sy'n gwneud i fi chwerthin fwya yw'r tro ges i fy ngalw yn 'poloshirted communist' (yn Saesneg) gan ryw hen ddyn gwyn pan o'n i'n rhannu taflenni. Dw i ddim yn siŵr o hyd o ble daeth hyn na beth oedd e'n wneud ar faes yr Eisteddfod yn y lle cyntaf!

Ar hyn o bryd dw i newydd ddechrau cadeirio yr is-grŵp technoleg, yn gweithredu o gwmpas defnydd y Gymraeg ar-lein. Dw i'n byw yn Llansawel ac yn gweithio fel technegydd rhyngweithiau.

Leia yn ei hawyren fach gyda sticer tafod y ddraig ar drwyn yr awyren

# Manon Elin James

Y tro cyntaf i mi ddod i gysylltiad â'r Gymdeithas oedd pan dderbyniais gopi o'r *Tafod* yn Eisteddfod 2010, yn 15 oed. Wrth ddarllen y *Tafod* sylweddolais mor annheg yw'n sefyllfa ni fel siaradwyr Cymraeg. Tan hynny, roeddwn yn byw mewn swigen o ryw fath – roedd fy nheulu agos a'm ffrindiau i gyd yn siarad Cymraeg, a gallwn wneud popeth yn Gymraeg heb drafferth. Roedd darllen y *Tafod* yn agoriad llygad, wrth sylweddoli nad dyna'r sefyllfa i bawb, a bod sawl ymgyrch eto i'w hennill. Roedd ymaelodi a mynychu cyfarfodydd lleol yn gam naturiol yn dilyn hynny. O wneud hyn, am y tro cyntaf wnes i gwrdd â phobl oedd fel fi, yn meddwl fel fi ac yn fy neall i.

Rwyf wedi dal amryw o rolau gyda'r Gymdeithas dros y blynyddoedd diwethaf: yn aelod o Ranbarth Sir Gaerfyrddin, yn

Manon (yn y canol) yn rhan o ymgyrch 'Byw yn Gymraeg'

ysgrifennydd ar Gell Pantycelyn, ac yn aelod o Senedd y Gymdeithas rhwng 2014 a 2019 fel cadeirydd ac is-gadeirydd y grŵp Hawl i'r Gymraeg. Bûm hefyd yn gweithio'n gyflogedig i'r Gymdeithas yn ystod haf 2015 a 2016 yn helpu gyda'r trefniadau ar gyfer yr Eisteddfod.

Yr ymgyrch gyntaf i mi fod yn rhan ohoni oedd yr ymgyrch i achub S4C yn 2010–11. Y prif weithgareddau rwy'n eu cofio yn rhan o'r ymgyrch honno yw dosbarthu taflenni a chasglu enwau ar ddeiseb ar stondinau stryd, rali tu allan i swyddfeydd y BBC yng Nghaerfyrddin, a meddiannu swyddfeydd y BBC yng Nghaerfyrddin am ddiwrnod.

O edrych 'nôl dros fy mhrofiadau gyda'r Gymdeithas, yr ymgyrch sy'n aros yn y cof, a'r un rwy'n fwyaf balch o fod yn rhan ohoni, yw'r ymgyrch i achub Neuadd Pantycelyn. Doeddwn i ddim yn gyfarwydd iawn â'r neuadd a'i hanes cyn dechrau yn y brifysgol, ond roedd hi'n anodd peidio â bod yn rhan o'r ymgyrch wrth fyw yno!

Fues i'n byw yn y neuadd rhwng 2013 a 2015, ac roedd y ddwy flynedd honno'n llawn cyfarfodydd, protestiadau a raliau dan arweiniad UMCA, BYG ('Byw yn Gymraeg') a Chell Pantycelyn. Penllanw'r ymgyrch oedd meddiannu'r neuadd, dan arweiniad Cell Pantycelyn, ym Mehefin 2015, pan wrthododd criw o fyfyrwyr

Manon yn llunio arwyddion ar gyfer yr ymgyrch i achub Neuadd Pantycelyn, 2013

symud allan ar ddiwedd y tymor. Meddiannu am 24 awr oedd y bwriad yn wreiddiol, ond buom yno am dros wythnos yn y diwedd, wrth i fwyfwy o fyfyrwyr ymuno, ac i'r gefnogaeth gyhoeddus gynyddu a chryfhau.

Erbyn i ni adael y neuadd ar ôl y meddiannu, pasiwyd cynnig gan Gyngor y Brifysgol yn datgan y bwriad i ailagor y neuadd ymhen rhai blynyddoedd – rhywbeth a fyddai wedi ymddangos fel breuddwyd lai nag wythnos ynghynt. Wythnos hir, hwyliog, emosiynol, gyffrous a chofiadwy. Bob tro rwy'n cerdded heibio i Bantycelyn nawr, ac yn gweld bywyd yn y neuadd, mae'n fy llenwi â balchder, cyffro a gobaith. Mae'n brawf o'r hyn y gall criw bach o ymgyrchwyr ei gyflawni.

# Bethan Ruth

Roedd hi'n 2010 a Cameron a'i agenda lymder wrth y llyw yn San Steffan. Ges i fy ethol yn Llywydd yr Undeb Myfyrwyr yn y Chweched ac es i ati i drefnu digwyddiadau yn erbyn y ffioedd myfyrwyr oedd ar fin cael eu treblu, a'r taliad lwfans EMA am gael ei hepgor. Tra o'n i yno cefais gwrdd â chynghorwyr sir diawen ar draws y gogledd-orllewin oedd eisiau torri'r arian cymorth i deithio ar fysiau i fyfyrwyr y Chweched hefyd. Roedd ffrindiau i mi yn dweud na allen nhw fforddio dod i'r Chweched heb gymorth y taliad EMA a'r arian ar gyfer bysiau.

Dyma'r flwyddyn pan ges fy mlas cyntaf o sut roedd gwleidyddiaeth yn digwydd ar lefel leol a chenedlaethol ac o wir anghyfiawnderau cymdeithasol. Doeddwn i ddim eisiau eistedd o gwmpas yn cwyno am bethau – ro'n i eisiau *gwneud* rhywbeth!

Mae dwy enghraifft allweddol o anghyfiawnder pan o'n i yn y brifysgol sy'n aros yn y cof cyn i mi chwarae rôl fwy gweithgar a *gwneud* dros y Gymraeg gyda'r Gymdeithas. Y digwyddiad cyntaf oedd pan oeddwn i'n ceisio prynu tocyn bws o Aberystwyth i Aberaeron:

"Ga i docyn return i Aberaeron plis?" meddwn wrth y gyrrwr.

"Can you say that in English, love, I don't speak Welsh" oedd ei ymateb.

Ymddiheurais wrtho ac yna ail-ddweud y frawddeg yn y Saesneg cyn cymryd sedd. Yn gyntaf meddyliais wrtha i fy hun, os yw'r dyn yma'n gyrru bws, siawns bod modd dysgu'r deg gair y bydd e'n eu clywed yn ddyddiol. Gallai hyd yn oed smalio mai geiriau Saesneg ydyn nhw, meddyliais, os yw'n neud iddo deimlo'n well! Fydde fe'n fwy o ymdrech i beidio dysgu?

Yna es i ymlaen i feddwl na fuaswn i byth yn *gorfodi* rhywun i siarad iaith – ond bod y gyrrwr heb feddwl dwywaith am fy *ngorfodi* i siarad Saesneg. Sylweddolais mai dyma yw'r sefyllfa o hyd – mai wastad fy newis iaith i fyddai'n cael ei hanwybyddu. Arhosais yn dawel yn fy meddyliau.

Yr ail ddigwyddiad oedd pan oeddwn i'n aros mewn llinell yn Swyddfa Bost Aberystwyth rai wythnosau wedyn. Roedd dynes mewn oedran yn gofyn am ffurflen Gymraeg wrth y ddesg. Roedd y staff yn syllu yn syn arni hi ac roedd llinell hir tu ôl iddi o gwsmeriaid diamynedd. Camodd dyn o'r llinell ati hi a dweud yn uchel ei gloch wrth bawb oedd yno, "It's a bilingual country. She can speak English perfectly, she's just being rude and racist!"

Aeth neb at y dyn i'w dawelu ac fel hyn y parhaodd gan 'heclo' y ddynes druan. Ar ôl sbel, fe adawodd y ddynes mewn oedran heb gynhyrfu dim a dweud, "Ges i ddim gwasanaeth yn y Gymraeg heddiw ac mi fyddaf yn ysgrifennu i gwyno."

Ar ôl iddi hi adael, fe barhaodd y dyn i'w gwawdio hi. Teimlais lais tu fewn i mi'n corddi ac es i lan at y dyn a dweud yn uchel, "If this was a bilingual country there would be no problem serving her in Welsh and the Post Office should be offering a Welsh-language service."

Mi wnes i ddifaru peidio dweud a *gwneud* rhywbeth yn gynt – arhosais yn dawel pan ddylwn i fod wedi sefyll lan dros y ddynes.

Roedd cynnwrf y gwrthdaro wedi gwneud i mi fod eisiau sianelu hynny i rywbeth rhagweithiol a chadarnhaol, felly ymunais â Chell Pantycelyn. Roedd y Gymdeithas yn llawn cyffro ar y pryd. Roedd yn dathlu 50 mlynedd o ymgyrchu gyda phenwythnos llawn a 50 o fandiau yn perfformio ym Mhontrhydfendigaid gyda maes pebyll mawr. Yno cefais gwrdd â llawer o ymgyrchwyr y Gymdeithas.

Yr un flwyddyn roedd cynhadledd wych wedi bod yn y Morlan yn Aberystwyth gyda siaradwyr ieithoedd lleiafrifoledig eraill o gwmpas y byd. Adroddodd bardd yno o Gwrdistan gerdd hyfryd a oedd wedi gwneud argraff arna i:

'Kurdish is the sound of my mother,
it's the language I speak with my cat.
It's not merely a tool to communicate,
it's so much more than that.'

Roedd y sgyrsiau yma ynghylch hunaniaeth ac iaith o ddiddordeb mawr i mi ar y pryd – yn nodweddiadol iawn efallai o rywun yn y brifysgol. Aeth hyn gyda mi pan es i fyw i Wroclaw yng Ngwlad Pwyl ar raglen Erasmus. Cefais sawl ymateb diddorol gan bobl yno i'r ffaith fy mod yn siarad Cymraeg, fel "What a funny sound to make with your cheeks", ymateb ffrind o'r Almaen wedi i mi siarad Cymraeg dros y ffôn gyda fy mam!

Roedd siarad sawl iaith yn 'normal' yno. Ro'n i'n teimlo anobaith yng Nghymru weithiau gan deimlo bach fel estron mewn môr o Seisnigrwydd ar ynys fach. Mi ddychwelais i Gymru gyda mwy o hyder yn fy Nghymreictod a fy hunaniaeth gan barchu nad oes y fath beth â niwtraliaeth ddiwylliannol, a bod pawb yn y byd wedi eu magu o fewn ffiniau profiadau penodol, diwylliannol, ieithyddol, ac yn y blaen – a bod hynny'n ocê (!), ac yn rhywbeth i'w gofleidio a'i ddathlu.

Roedd cymuned wych o fyfyrwyr Cymraeg o fy nghwmpas yn Aberystwyth. Roedd rhywbeth arbennig yn yr aer yn Aberystwyth ar y pryd – rhywbeth radical. Roedd neuadd breswyl Pantycelyn yn lle gwych i fod, ble roedd rhai yn gyfforddus ac yn ddigwestiwn am eu Cymreictod a rhai eraill yn anesmwyth a gyda chwestiynau parhaus.

Roedd profiadau mor wahanol o'r Gymraeg a Chymreictod yno, o bedwar ban Cymru a thu hwnt. Sylweddolais fod rhan helaeth o'r rheiny oedd yn mynd yno wedi dod o gymunedau ble mae siaradwyr Cymraeg yn lleiafrif. Mae'n brofiad cwbl amhrisiadwy cael byw blwyddyn o'ch bywyd mewn neuadd breswyl fel mwyafrif, a dwi'n credu bod y rhyddid yna i ddechrau pob sgwrs yn Gymraeg wedi cael effaith seicolegol fawr. Profiad sy'n cael ei gymryd mor ganiataol gan fyfyrwyr ieithoedd eraill y byd – Saesneg, Sbaeneg, Pwyleg hyd yn oed.

Roedd hi'n hawdd trefnu i weithredu fel cell am fod yno angerdd a dealltwriaeth wleidyddol. Atgof da oedd pan wnaethon ni ddefnyddio tsiaen i glymu ein hunain i giatiau swyddfeydd Llywodraeth Cymru yn Aberystwyth er mwyn eu cael nhw i ymateb gyda pholisïau concrid i'r dirywiad mewn siaradwyr yn dilyn cyfrifiad 2011 Roedden ni'n galw am 6 gweithred benodol ganddynt. Roedd yn hawdd trefnu digwyddiadau fel hyn, yn rhannol am fod pensaernïaeth Neuadd Pantycelyn mor agored. Roedd wedi ei lleoli mor berffaith rhwng y campws a'r dre, ac yn cael ei defnyddio fel canolfan 'galw heibio' gan fyfyrwyr yr ail a'r drydedd a'r rheiny a oedd yn gwneud cyrsiau ôl-radd. Roedd 'na ystafell gyfrifiaduron i bawb yno ynghyd â ffreutur ac un lolfa fawr i bawb. Roedd y lle'n llawn bwrlwm, yn hygyrch ac yn fyw!

Roedd dyfodol y neuadd ro'n i'n ei charu cymaint yn y fantol gyda'r brifysgol eisiau i fyfyrwyr Cymraeg dalu am lety drud ar ffurf fflatiau yn Fferm Penglais a chau Neuadd Pantycelyn. Daeth cnewyllyn gweithgar o bobl angerddol at ei gilydd i ymateb i hyn gyda chefnogaeth ehangach myfyrwyr UMCA. Trefnwyd yn gyntaf gyfres o styntiau mewn digwyddiadau cyhoeddus – er enghraifft, gwisgo tâp du dros ein gwefusau gyda phlacardiau 'Achub Pantycelyn' mewn digwyddiadau cyhoeddus fel yr Eisteddfod a diwrnod agored y brifysgol.

Dwi'n cofio mam rhyw ddarpar fyfyriwr yn dweud wrtha i tra o'n i'n dal placard, "Am fewnblyg a chul 'dach chi – pam na ewch chi allan i'r byd mawr o Gymru a byw gyda phobl o amgylch y byd?"

Does dim rhaid sefyll tu allan i rywbeth er mwyn gweld gwerth ynddo – gellir gweld ei werth o fod reit yn ei chanol hi. Ydi hi wir yn bosib sefyll tu allan i ni'n hunain beth bynnag? Wnes i erioed gwrdd ag unigolion llai mewnblyg na phobl Pantycelyn chwaith. Wrth gwrs, roedd 'na unigolion ifanc mewnblyg i'w cael hefyd – ond byddech chi'n dod o hyd i'r rheiny ym mhob man yn y byd!

Penderfynwyd y bydden ni'n meddiannu'r neuadd dan enw Cell Pantycelyn (i roi'r rhyddid i UMCA drafod yn fwy gyda'r brifysgol) ar ddiwedd tymor academaidd 2015, am nad oedd y brifysgol wedi addo unrhyw beth ar lafar nac ar bapur am ddyfodol y neuadd wedi gwyliau'r haf. Roedd llawer ohonom gyda thraethodau i'w hysgrifennu tra oedden ni yno, felly roedden ni'n ei chymryd hi yn ein tro i weithio ar negeseuon cyhoeddus yr ymgyrch. Roedd gwledd o fwyd yn ein cyrraedd ni ar gyfer pob pryd bwyd gan bobl leol hael (gan gynnwys darlithwyr oedd yn methu ein cefnogi ni'n gyhoeddus)! Roedd llawer o chwerthin i'w gael yn y neuadd gyda gemau cardiau gyda'r nos, a chawsom ni ymwelwyr arbennig yn ystod yr wythnos hefyd, gan gynnwys Catrin Dafydd, Emyr Llew, Eddie Ladd a Bryn Fôn!

Erbyn diwedd yr wythnos o feddiannu'r adeilad, cafwyd cytundeb y byddai'r brifysgol yn addo ailagor y neuadd fel llety i fyfyrwyr ar ôl buddsoddi ynddi. Ni fuasai hyn wedi digwydd oni bai am y pwysau cyhoeddus a grëwyd gan fyfyrwyr yr ymgyrch a oedd yn dwyn perswâd ar y brifysgol. Sylweddolais fod gwir bŵer gan y Gymdeithas o ran cael pethau wedi eu gwneud am fod y bygythiad yna o weithredu uniongyrchol a chyhoeddus yn gwneud i sefydliadau weithredu ar ein galwadau – yn enwedig yn yr achos yma wedi i drafod a cheisio rhesymu'n fewnol gyda'r brifysgol fod yn fethiant llwyr. Roedd yn wers bwysig i'w dysgu.

Ar ôl y brifysgol es i i weithio fel Swyddog Maes i'r Gymdeithas dros ogledd Cymru a gweithio gyda sawl cell dros sawl ymgyrch. Dwi'n cofio sawl deinosor o gynghorydd sir yn ceisio fy nadrymuso fel merch ifanc gan ddefnyddio iaith fychanol, er enghraifft, "Efallai eich bod chi ferched ddim digon hen i sylweddoli ..." a "Braf gweld gwyneb hyfryd i gyd-fynd â'r llais hyfryd, mwyn o Feirionnydd oedd i'w glywed dros y ffôn". Ro'n i'n teimlo yn barhaus y byddwn wedi cael mwy o barch a'm cymryd yn fwy o ddifri petawn i yn ddyn canol oed. Ro'n i'n hapus iawn wedyn, wrth gwrs, i ddangos nad merch fach ddiniwed o'n i trwy fy ngallu gwleidyddol gyda gweithred ddifrifol tu ôl i fy ngeiriau.

Yn fwy diweddar fues i'n aelod o Senedd y Gymdeithas fel Swyddog Rhyngwladol, ac mae diddordeb mawr gen i mewn creu pontydd rhwng ymgyrchwyr Cymraeg ac ymgyrchwyr ieithoedd lleiafrifoledig eraill. Dwi'n teimlo mai dyma fydd cryfder y genhedlaeth nesaf o ymgyrchwyr iaith – yn enwedig am fod y byd digidol yn ei gwneud hi mor hawdd i wneud hyn hefyd. Trefnais ddigwyddiad 'Bendigeidfran' yng Nghaernarfon 'nôl yn 2018 gyda'r Gwyddelod ac yna 'Chwoant' yn 2022 gyda'r Llydawyr. Trefnais daith i gwrdd ag ymgyrchwyr Misneachd Alba yn Glasgow ac Ynys Skye a dwi wrthi'n creu cyswllt i wneud yr un fath gyda'r Saami nesaf. Dwi'n credu'n gryf ei bod hi'n bwysig codi'r pontydd yma i ddangos cefnogaeth i eraill, a hefyd i ddysgu o'u profiadau ac i ennill syniadau newydd am sut ydyn ni'n parhau'r frwydr dros ryddid a hawliau i'r Gymraeg a'n cymunedau.

Fel cadeirydd cenedlaethol roeddwn i ac eraill yn rhoi at ei gilydd y ddogfen weledigaeth newydd ar gyfer creu rhestr o syniadau newydd i'r pleidiau eu mabwysiadu ac adeiladu ar y syniadau i gael 'mwy na miliwn' o siaradwyr Cymraeg. Roedd angen sicrhau bod ein syniadau ni'n efelychu croestoriadedd ac yn mynd i'r afael â'r rhwystrau mae sawl carfan o'n cymunedau ni'n eu profi er mwyn cael mynediad i'r iaith. Dwi'n credu y bydd cadw'r weledigaeth yma'n bwysig wrth i ni fynd ymlaen i wneud yn siŵr bod ymgyrchoedd y dyfodol yn cynnwys croestoriad o leisiau, gan gynnwys merched o bob cefndir yng Nghymru hefyd.

Meddiannu Neuadd Pantycelyn

Angharad Tomos yn annerch y meddianwyr

# Heledd Melangell Williams

**Gweithredu yn erbyn llymder, 2011**

Yn 2011 yr oedd y Wladwriaeth Les dan warchae. Yn sgil *crash* economaidd 2008, yr oedd llymder yn bolisi ideolegol gan y Toriaid a oedd yn ymosod ar ein gwasanaethau cyhoeddus a phobl a ddibynnai ar fudd-daliadau yn benodol. Teimlai'r frwydr yn erbyn llymder fel un a fyddai'n diffinio'r degawdau oedd i ddod, ac roedd bywydau yn y fantol.

Cefais fy nenu at wleidyddiaeth adain chwith yn fy arddegau yn darllen llyfrau George Orwell, cyflwyniadau i Farcsiaeth a mynd i brotestiadau Cymdeithas yr Iaith. Yr oeddwn yn llawn cynnwrf yn mynd i'r brifysgol; yn y llefydd hyn yr oedd pethau radical digwydd. Yr oeddwn wedi darllen a chlywed lot ynghylch rôl myfyrwyr mewn mudiadau protest, yn enwedig yn hanes y Gymdeithas ei hun. Dyma oedd fy nghyfle i ddod yn rhan o'r frwydr o ddifri.

Cwrddais â rhai o swyddogion y Gymdeithas ar stondin yn wythnos y glas Prifysgol Caerdydd. Yn anffodus doedd dim cell yn y Brifysgol er bod cymaint o siaradwyr Cymraeg yno. Dechreuais fynychu cyfarfodydd. Aethom allan i osod posteri gyda'r nos, a sgwrsio am wleidyddiaeth a chefais gopi o Faniffesto'r Gymdeithas gan Sioned Haf, swyddog maes y de ar y pryd. Teitl y maniffesto hwnnw o 2001 oedd 'Y Gymraeg yn Goroesi Globaleiddio'. Yr oedd y maniffesto wedi ei leoli yn y frwydr ryngwladol yn erbyn globaleiddio, a fe wnes i ei gysylltu felly â'r mudiadau rhyngwladol yn erbyn cyfalafiaeth oedd yn fy hysbrydoli.

O'r Zapatistas ym Mecsico i'r brwydrau yn erbyn y G8 a'r IMF (*International Monetary Fund*), taniodd y maniffesto ymdeimlad o falchder fy mod i'n Gymraes ac yn gallu bod yn rhan o'r chwyldro yn fy nghornel fach i o'r byd. Yr oedd cyfalafiaeth yn peri 99% o'r dioddefaint a welwn yn fy nheulu, ffrindiau, cymuned, a'r byd.

O'm ffrindiau yn teimlo'n anhapus gyda'u hedrychiad, yna eu hunan-werth yn dioddef, i'r modd yr oedd cyfalafiaeth yn ymosod ar yr iaith Gymraeg – roedd grym dieflig Mamon yn llywio bywyd pob dydd pawb ohonom, gan gynnwys fy mywyd i.

Pan awn i siopa yn y cyfnod hyn, edrychwn ar y labeli bwyd a gweld bod popeth yn dod o wledydd 'tlawd', a'r bobl oedd wedi creu y cynnyrch yn sicr o fod wedi eu hecsploetio, a'r ffermio diwydiannol yn debyg iawn o fod yn dinistrio tir eu gwlad. Yr oedd bron popeth yr oeddwn i fel gorllewinwr yn ei brynu wedi ei greu ar gefn dioddefaint pobl eraill, mewn gwledydd a oedd wedi cael eu coloneiddio gan Ewropeaid rhywbryd yn y gorffennol. Yr oedd byw mewn system ble y teimlai bod fy modolaeth yn creu niwed yn teimlo'n anghyfforddus i mi, ac yn boen meddwl.

Daeth yn amlwg i mi fod y frwydr yn erbyn cyfalafiaeth yn cael ei hymladd ar sawl ffrynt. Yn fy nghyd-destun fy hun, fel Cymraes o Eryri, y Gymraeg ydi'r man lle gallaf fod mwyaf effeithiol. Ni allwn dderbyn y byd fel ag yr oedd – y rhyfeloedd a oedd yn llusgo 'mlaen yn Affganistan ac Irac, cynhesu byd eang, y tlodi a'r trais patriar-chaidd yng nghymunedau a chartrefi cymaint o bobl. Yr oedd syniadau a hanes y mudiad iaith wedi rhoi tân yn fy mol: darllenais lyfr Ned Thomas, *The Welsh Extremist* a nifer o bamffledi gan gynnwys *S4C: Pwy dalodd amdani?*. Yr oedd dysgu am y miloedd o bobl a oedd wedi gweithredu dros yr iaith yn dorfol ac ennill, yn rhoi gobaith i mi, mewn amser pan oedd gobaith gwleidyddol yn teimlo braidd yn annelwig.

Cefais wahoddiad i ddod i gyfarfodydd Senedd y Gymdeithas. Cyfarfod misol yn Aberystwyth i lywio'r Gymdeithas yw'r Senedd. Yno, cwrddais a threulio amser gyda phobl a welai'r byd mewn ffordd debyg i mi ac yr oedd hyn yn chwa o awyr iach. Ar naill law, yr oedd fy ffrindiau yn fy neuadd breswyl yn Doriaid Saesneg rhonc, ac ar y llaw arall yr oedd y Sosialwyr yr oeddwn wedi dod i'w hadnabod yn gweld cenedlaetholdeb Cymreig fel rhywbeth peryglus, bron yn ffasgaidd, ac yn dyrannu'r dosbarth gweithiol mewn modd gwrth-chwyldroadol.

Wrth i mi drio gwneud synnwyr o'r byd, es i gyfarfodydd Socialist Worker's Party, Socialist Appeal, Socialist Party a nifer o fudiadau chwith eraill tra yr oeddwn yn y Brifysgol. Yr oedd y grwpiau yma i gyd yn casáu ei gilydd er mor agos oeddynt yn ideolegol. Yr oedd eu cyfarfodydd yn ddiflas efo dynion gwyn canol oed yn malu awyr am be ddwedodd Trotsky dros gan mlynedd yn ôl mewn cyd-destun hollol wahanol i Gymru heddiw. Doedd dim ffocws o gwbl ar weithredu na sut i newid pethau. Eu hunig gonsyrn, o'r hyn a welwn, oedd gwerthu eu papurau newydd a chynyddu eu haelodaeth wrth fanteisio ar y crisis diweddaraf yn y newyddion a oedd yn profi eu bod nhw'n "iawn" a bod cyfalafiaeth yn fethiant.

Gan fy mod wedi mynd i'r brifysgol yn 2009, blwyddyn ar ôl i'r crisis economaidd daro, yr oedd llawer o'r grwpiau sosialaidd hyn yn ei weld fel cyfle i ysgogi chwyldro. Yn anffodus, yr oedd y grwpiau hyn llawer rhy brysur yn dadlau yn blentynnaidd ymysg ei gilydd. Yng Nghaerdydd yr oedd dau o'r grwpiau hyn wedi trefnu cyfarfodydd cyhoeddus mawr ynglŷn â pholisïau llymder ar yr un dyddiad, ac roedd aelodau'r ddau grŵp (Socialist Worker a Socialist Party) yn rhwygo posteri ei gilydd ar draws y ddinas. Yr oeddent hyd yn oed wedi bwcio yr un siaradwr o ryw undeb mawr ar gyfer y ddau gyfarfod! Daeth i'r amlwg hefyd rai blynyddoedd yn ddiweddarach, fod dynion y grwpiau hyn yn amddiffyn ei gilydd pan fo cwynion o aflonyddu gan fenywod, rhywbeth oedd, wrth gwrs, yn frad poenus iawn i'm cymrodorion benywaidd yn y mudiadau yma.

Yr oeddwn teimlo llawer mwy cyfforddus felly yn ymgyrchu efo'r Gymdeithas. Yr oeddwn wedi blino ar lol y sosialwyr. Edrychwn ymlaen bob mis i fynd i gyfarfodydd Senedd y Gymdeithas, nid am y cyfarfod Senedd ei hun – yr oedd hanner o'r hyn drafodwyd yn dal i fynd dros fy mhen – ond gyda'r nos 'roeddwn yn mynd i'r dafarn a siarad am wleidyddiaeth efo'r bobl ddiddorol hyn, a oedd yn Sosialwyr ac yn Gymry. Yr oedd cell fywiog o Gymdeithas yr Iaith ym Mhrifysgol Aberystwyth ac 'roeddwn wrth fy modd yn treulio amser efo ffrindiau. Yng Nghaerdydd, doedd fawr neb efo unrhyw ddiddordeb mewn gwleidyddiaeth.

Yr oedd fy mraw ynghylch llymder wedi fy nhanio - yr oedd y toriadau yma am drawsnewid cymdeithas. Gyda nifer o bobl agos i mi yn dibynnu ar fudd-daliadau i fyw, neu'n ddibynnol iawn ar wasanaethau iechyd a chymdeithasol, yr oeddwn yn bryderus yn eu cylch. Teimlais yn rwystredig fod yr ymateb gwleidyddol yng Nghaerdydd a Chymru yn wyneb polisïau llymder y Torïaid mor dila.

Methodd y chwith i sefydlu ffrynt unedig yn erbyn llymder yng Nghymru: yr oedd pob achos yn ymladd i amddiffyn buddiannau eu hunain erbyn y diwedd, gyda'r achosion mwyaf bregus yn aml yn dioddef waethaf. Yr oedd y sectorau bregus hyn a gâi eu torri – gwasanaethau cefnogi pobl yn gaeth i gyffuriau ac alcohol er enghraifft – yn anweledig i drwch y bobl a oedd yn trefnu'r adain chwith yn erbyn llymder, sef y gymdeithas sifig, ddosbarth canol, wyn. Yr oedd digon o brotestio yn erbyn cau llyfrgelloedd a gwneud toriadau i'r celfyddydau, y gwasanaethau cyhoeddus a ddefnyddid fwyaf gan y dosbarth canol.

2011 oedd y flwyddyn dwi'n cofio'r mudiad gwrth-lymder yng ngwledydd Prydain yn cyrraedd ei anterth. Cafwyd terfysgoedd Milbank a myfyrwyr yn meddiannu eu prifysgolion i wrthwynebu codi'r ffioedd. Yr oeddwn i'n siŵr pe bai rhai yn cychwyn gweithredu yn ddifrifol yng Nghymru, y byddai hyn yn peri i eraill gamu ymlaen a gweithredu hefyd. Dyma oedd wedi digwydd yn y gorffennol o'r hyn a welais i. Dysgais yn hwyrach mai'r enw ar y cysyniad hwn yw 'propaganda'r weithred', dull a ddefnyddiai anarchwyr ar gychwyn yr 20fed ganrif fel tacteg chwyldroadol i danio dychymyg eraill.

Fodd bynnag, nid dyma ddigwyddodd. Dydyn ni ddim yn yr 80au rŵan. Yn y cyfnod hwnnw, yr oedd cannoedd o bobl wedi aberthu eu rhyddid dros yr iaith. Yr oedd aberth y bobl hyn wedi fy syfrdanu gan roi gobaith mewn pobl i mi. Y dyddiau hyn teimlaf fel petawn mewn byd sydd wedi ei drechu gan gyfalafiaeth a bod dioddefaint yn fy amgylchynu, gyda dioddefaint ar draws y byd yn fwy eithafol fyth.

Gyda chydsyniad eraill, dyma ni felly yn penderfynu gweithredu.

Daeth cynhadledd genedlaethol y Toriaid i Gaerdydd ym mis Mawrth 2011. Yr oedd David Cameron a gweddill ei ffrindiau o'r Bullington Club yn dod i Gymru. Rhain oedd y rhai oedd wedi gwthio'r agenda llymder a oedd yn golygu trychinebau di-ri i filiynau o bobl.

Byddai llymder yn lladd, a nhw oedd y llofruddwyr.

Penderfynom dorri mewn i swyddfa'r Toriaid yng Nghymru'r a'i meddiannu yr un diwrnod â'r gynhadledd Doriaidd. Cyrhaeddom ni yno ben bore Sadwrn wrth i'r wawr godi. Aethom ati i drio cael mynediad i'r adeilad. Doedd y ffenest ddim yn torri er gwaethaf cael ei tharo gan fwrthwl sawl gwaith.

Edrychom ni ar ein gilydd mewn penbleth. Yna triodd fy ffrind (Jamie) dorri mewn trwy'r drws. Doedd dim yn tycio. Roeddwn yn dechrau teimlo'n bryderus erbyn hyn.

Diolch byth, rhai eiliadau wedyn, chwalwyd y ffenest yn yfflon a chamodd Jamie a fi drwyddi ac i mewn i'r swyddfa. Fy atgof cryfaf o'r profiad yw gweld portread o Winston Churchill yn cael ei dynnu oddi ar y wal a'i ddefnyddio i chwalu'r cyfrifiaduron. Wedyn, efo paent coch es ati i sgwennu slogan ar y wal. Yr oedd y weithred yma yn erbyn llymder yn gyffredinol ond yn benodol yn erbyn y toriadau i S4C.

Ffoniais yr heddlu i ddod i'n nôl ni, yn ôl arfer y Gymdeithas, ac es i lanhau'r paent oddi ar fy nwylo. Cyrhaeddodd yr heddlu a chawsom ein dal efo fy nwylo yn diferu o baent coch; doeddwn methu stopio meddwl am chwedl y Sais '*caught red handed*'.

Er i ni ffonio'r heddlu a dweud ein bod yn heddychlon ac yn gwneud protest, teimlodd yr heddlu fod angen ein bygwth efo '*pepper spray*' a'n gorchymyn i orwedd ar y llawr efo'n dwylo ar ein pennau. Aethom i'r fan a chofiaf ddweud wrth Jamie y bydden ni allan cyn amser te, yn union fel y tro diwethaf y cawsom ein harestio am weithredu cwpwl o fisoedd ynghynt.

Er gwaethaf difrifoldeb y weithred, yr oeddwn i'n argyhoeddedig mai dyma oedd y peth iawn i'w wneud, a theimlwn fy mod wedi gwneud y peth iawn. Dwi'n dal i deimlo'n falch o'r weithred ac yn ddiolchgar i'r Gymdeithas am roi'r cyfle i mi weithredu yn y modd yma yn erbyn y Torïaid. Er nad oedd y weithred wedi cael yr effaith ddramatig yr oeddwn wedi gobeithio amdani, yr wyf yn dal i deimlo ei bod yn gyfraniad gwerthfawr i'r frwydr yn erbyn llymder. Yr oedd yn dangos mor wrthun ac annerbyniol 'roedd yr holl beth i bobl Cymru.

Wedi fy magu efo hanesion Cymdeithas yr Iaith a'r gweithredu, roeddwn yn ddigon naïf i feddwl petaem yn gweithredu, efallai byddai hyn yn arwain at ragor o weithredoedd gan eraill mewn unoliaeth. Mewn gwirionedd, 'roedd rhaid i ni hyrwyddo a gwneud y gwaith hybu ar gyfer ein protest ein hunain yng Nghaerdydd – rhywbeth oedd yn teimlo braidd yn chwithig.

Mae hyn yn mynd nôl at y syniad o'r Gymdeithas sydd gan y Cymry yn eu dychymyg - fel byddin o bobl ddiflino sydd yno am byth yn brwydro am ein hawliau ieithyddol. Mewn gwirionedd, yn y 2010au llond llaw o bobl weithgar oedd yna, yn ymdrechu i wneud y gwaith ar ben eu swyddi, gofal plant a llawer o gyfrifoldebau eraill. Doedd dim modd disgwyl i egni'r 80au gael ei ad-danio dros nos tra bod y gymdeithas Gymraeg ei hiaith wedi ei newid mewn modd sylfaenol.

Roedd y byd wedi symud ymlaen cryn dipyn ers y degawdau a fu, a'r diwydiant iaith (yn eironig, gan gynnwys S4C) wedi amsugno ysbryd chwyldroadol myfyrwyr a phobl fyddai fel arfer yn gweithredu yn y gorffennol. Yr oedd y Comisiynydd Iaith, S4C, datganoli ac ati wedi cyfrannu at greu dosbarth canol Cymraeg ei iaith nad oedd yn bod o'r blaen. Yr oedd pobl oedd am greu newid am wneud hyn drwy swyddi a sefydliadau. Tybed a oedd gyrfagarwch neo-ryddfrydol wedi trechu gwreiddiau protest y gymdeithas Gymraeg ei hiaith? Dwi wedi pendroni dros y cwestiwn yma sawl tro. Ble aeth pawb?

Doedden ni ddim allan o'r gell erbyn amser te. Arhosais yn y celloedd am tua 36 awr. Roedd rhaid i ni fynd i'r llys i weld a gaem fechnïaeth. Fe ddaru hyn fy synnu er dwi'n cofio pobl yn sôn wrth drafod y weithred bod carchar yn bosibiliad, ond 'doeddwn yn sicr ddim yn meddwl y byddent yn gwrthod mechnïaeth inni.

Yr oedd y cyfreithiwr a gefais o'r orsaf heddlu yn ddyn rhyfedd dros ben. Gwyddel oedd o ac yn dweud ar un llaw ei fod yn cytuno efo ein gweithred, ond ar y naill law yr oedd yn rhoi darlith i mi am sut 'roedd y weithred yn un ddwl. Hwn oedd y dyn canol oed cyntaf o nifer i ymateb yn nawddoglyd tuag ataf ynghylch y weithred.

Ceisiodd yr heddlu lywio'r sgwrs er mwyn i ni ateb eu cwestiynau mewn modd fyddai'n argyhuddo eraill. Yr oeddynt eisiau creu naratif o 'gynllwyn' a llusgo pobl eraill i'n hachos. Yr oedd hyn wedi digwydd yn hanesyddol efo nifer o achosion llys 'cynllwyn' yn erbyn aelodau'r Gymdeithas ar hyd y blynyddoedd. Tra 'roeddent yn fy nghwestiynu, fe wnaeth yr heddwas ymdrech lew i roi'r argraff ei fod fel Cymro yn 100% cefnogol i'r weithred – fel fy mod yn ymddiried ynddo. Wrth gwrs, gwelais eu gêm a gwrthodais ateb eu cwestiynau ynglŷn â phwy oedd yn gwybod am y weithred ac yn y blaen. Yr oedd dwsinau yn gwybod amdani gan fod rhaid i ni ofyn am ganiatâd Senedd y Gymdeithas cyn gwneud gweithred oedd mor ddifrifol.

Tra 'roeddwn yn y celloedd dan Lys Ynadon Caerdydd, yn aros i fynd o flaen barnwr, rhoddodd y sgriw gopi o'r *South Wales Echo* i mi gan ddweud mod i yn y papur. Dywedodd hefyd bod ein hanes ar dudalen flaen y *Western Mail*. Yr oedd y papur newydd yn dweud ein bod wedi torri mewn i'r adeilad anghywir. Cefais fy nhraflyncu gan ofn, hunan-amheuaeth a chywilydd – doedd bosib ein bod wedi gwneud camgymeriad o'r fath? Ar ôl cael ein rhyddhau, fe wnes i ddarganfod fod y papur newydd wedi dweud celwydd, a lol llwyr oedd hyn. Dangosodd y profiad yma i mi mewn modd real a phersonol pa mor dwyllodrus ydi'r cyfryngau a'r heddlu.

Yn dilyn fy rhyddhau o'r celloedd, cefais wybod bod y Brifysgol ar gychwyn proses o'm diarddel. Diolch byth, cefais aros ar fy nghwrs, diolch i'r gefnogaeth a gefais gan aelodau staff adran Ysgol y Gymraeg Prifysgol Caerdydd.

Cefais fy nigalonni gan y diffyg gweithredu yn erbyn llymder yng

Nghymru yn ystod y cyfnod hwn oedd yn teimlo mor dyngedfennol. Yr oedd yna fwlch mawr rhwng y rhethreg a beth oedd yn cael ei weithredu gan y chwith. Fe wnaeth fy 'ffrindiau' o grwpiau sosialaidd fy meirniadu'n hallt am y weithred. Nid oedd y "dosbarth gweithiol" yn barod am weithredu o'r fath ac yr oedd gweithredoedd fel hyn yn eu hestroni, meddent. Peth nawddoglyd ar y naw i'w arddel ynghylch pobl dosbarth gweithiol yr oeddwn yn meddwl.

Fe wnaeth dyn a oeddwn i'n ei weld ar y pryd orffen y berthynas yn syth wedi'r weithred. Yr oedd hyn oherwydd – yn ei eiriau ef – yr oeddwn i'n 'rhy eithafol' ac 'wedi mynd rhy bell'. Cymro oedd o, ac oedd o'n honni ei fod yn adain chwith. Fe wnaeth y gennod (di-Gymraeg) yr oeddwn yn byw efo nhw hefyd ddweud wrthyf eu bod yn hollol 'freaked out' efo beth a wnes, a gwywodd fy nghyfeill-garwch efo llawer ohonynt yn y pen draw.

Mae un digwyddiad yn aros yn fy nghof yn adladd y weithred. Yr oedd Noam Chomsky, arwr comiwnyddion libertaraidd, yn siarad yn Neuadd Dewi Sant, Caerdydd. Es i wrando arna fo a gwelais fachgen oedd ar fy nghwrs Cymraeg yn y Brifysgol. Yr oedd o yn adain chwith-ish ac wedi bod yn hanner cyfeillgar yn y gorffennol. Yr oedd yn siarad efo rhywun 'roeddwn i'n ei nabod ac yn sôn ei fod yn chwilio am docyn ychwanegol, a dywedais wrtho 'mod i'n gallu helpu i ffeindio tocyn arall. Edrychodd arnaf yn annifyr, troi ei gefn, a cherdded i ffwrdd. Yr oeddwn i'n weddol sicr mai'r weithred a barodd iddo ymddwyn fel hyn.

Doedd plant y Cymry bellach ddim yn cael eu harestio a phrotestio, ond yn mynd i'r brifysgol a chael gyrfaoedd da yn y diwydiannau a grëwyd gan y frwydr dros yr iaith. Dim eu bai nhw oedd hyn wrth gwrs. Yn ôl materoliaeth, y theori Marcsaidd o hanes, yr ydym i gyd yn gynnyrch ein hamgylchfyd. Am wn i, gan nad oeddwn o'r un cefndir ag eraill oedd yn fyfyrwyr, doeddwn i ddim wedi derbyn y 'nodyn' nad dyma oedd ein cenhedlaeth ni am ei wneud bellach. Yr oedd y cyfnod ar ôl yr arestio yn gyfnod unig iawn.

O edrych nôl, nid yw'n rhyfedd 'mod i'n teimlo fel hyn. Dwi'n cofio rhagfarn dosbarthiaeth yn ddwfn yn niwylliant Cymry ifanc y cyfnod. Wedi'r cwbl yr oedd band poblogaidd y cyfnod, a oedd ar frig gigs y 'Steddfod ers blynyddoedd – Derwyddon Dr Gonzo – yn canu geiriau fel 'Chaviach, ti'n ffocing afiach, chaviach'. Yr oedd y 'Gym Gym', sef cymdeithas Gymraeg y Brifysgol, yn trefnu nosweithiau "Ffiaidd" ble yr oedd myfyrwyr oedd o gefndiroedd dosbarth canol rhan amlaf, yn gwisgo fel pobol coman / *chavs* / pobl ddosbarth gweithiol - hoops mawr, colur trwm, Adidas ac ati. O edrych yn ôl, doedd dim rhyfedd mod i'n teimlo'n anghyfforddus.

Myth yw meritocratiaeth, ond y myth yma sy'n gwneud i fyfyrwyr heddiw, y dosbarth proffesiynol a'r dosbarth canol, feddwl eu bod fwy haeddiannol o fywyd da nag eraill. Os ewch i unrhyw ysgol a gweld y modd mae pobl ifanc yn cael eu didoli mewn dosbarthiadau gwahanol o ran eu 'gallu', gweler bod y didoli yma yn fwy o adlewyrchiad o ddosbarth cymdeithasol na pheniogrwydd y pobl ifanc. Mae disgwyliadau pobl o gefndiroedd gwahanol yn cael effaith fawr ar hyn.

Fe wnaeth llawer o'm cymrodorion o'r Gymdeithas wneud lot i'm cefnogi. Dwi'n ddiolchgar am y llythyrau ffeind a gefais, a chardiau gan hen aelodau'r Gymdeithas dwi'n eu parchu'n fawr; i bawb ddaeth i'r achosion llys a rhoi arian i helpu talu fy nirwy. Rhoddodd y gweithredoedd hyn dipyn o nerth meddyliol i mi, a thorrodd drwy'r unigrwydd.

Y person a roddodd y gefnogaeth fwyaf i mi oedd fy Nhad. Daeth i fy nôl o'r celloedd a mynd â fi am dro i Llanilltud Fawr yn syth wedi i mi gael fy rhyddhau. Gallwn ei ffonio a siarad ag o unrhyw dro; doedd o byth yn cwyno am y baich o'm cefnogi. Dwi'n ddiolchgar iawn iddo yn y cyfnod yna o'm bywyd.

Wedi'r achos llys, cefais ddirwy, ac roedd ymdeimlad o wacter a siom wedi fy llenwi. Ni wyddwn beth oedd am wthio'r frwydr yn erbyn llymder yn ei blaen os nad oedd gweithredu fel hyn am lwyddo. Dewisodd fy ffrind Jamie fynd â'r weithred yn bellach gan wrthod dalu'r ddirwy a mynd i'r carchar. Yn y cyfnod wedi'r achos llys yr oeddwn yn wynebu cael fy niarddel o'r brifysgol, ac yn gorfod wynebu'r broses ddisgyblaeth. Anfonodd nhw swyddogion i'm hachos llys heb i mi wybod i fonitro'r sefyllfa.

Roedd y Gymdeithas yn teimlo'n anodd i'w deall. Oedd, roedd y rhethreg yn chwyldroadol, ond ar adegau, teimlai'r ymgyrchu yn sefydliadol efo pwyslais mawr ar ddefnyddio'r Wasg a lobio. Tua'r amser yma, dechreuais ymddiddori mewn gwleidyddiaeth anarchaidd. Doedd y dacteg o ofyn am gonsesiynau gan y wladwriaeth ddim yn teimlo fel y byddai byth yn ymrafael mewn modd ystyrlon â'r problemau a wynebwn. Yr oedd y profiad wedi fy nadrithio i ryw raddau, a dwi'n meddwl mai teimlo mor ynysig ar y pryd a barodd i hyn ddigwydd. Cofiaf wylltio efo rhai swyddogion y Gymdeithas ar y pryd gan i swyddog y cyfryngau geisio parchuso ein gweithred gan fynnu peidio dweud yn y datganiad ein bod wedi difrodi'r swyddfa, dim ond ein bod wedi torri mewn a'i meddiannu.

Yr oedd yn ddiddorol profi y gwahaniaeth yn y modd y mae'r mudiad anarchaidd a'r Gymdeithas yn cefnogi ac yn paratoi'r sawl sydd yn mynd gerbron llys. Efallai bod y pwyslais ar yr unigolyn yn rhy drwm o fewn Anarchiaeth, ond o ran y gefnogaeth i bobl a oedd yn gweithredu'n uniongyrchol, 'roedd y rheolaeth yn nwylo y sawl oedd yn mynd i'r llys. Pan awn i'r llys efo'r Gymdeithas, yr oedd hyn yn aneglur. Mae gan y Gymdeithas draddodiadau ac arferion – dulliau sydd yn pellhau'r achos ag egwyddorion o ymdrin â llysoedd 'Prydeinig'. Yn anterth dyddiadau gweithredu torfol y Gymdeithas, alla i ddim ond dychmygu pa mor brydferth oedd hyn. Yng nghyd-destun achos llys Jamie a fi, fodd bynnag, yr oedd yna ymdeimlad bod y traddodiad ddim yn gwneud synnwyr yn y cyd-destun hwnnw.

Wrth i mi fyfyrio ar y weithred, sylweddolaf fod sawl ffactor ar waith a wnaeth atal datblygiad y frwydr. I ddechrau, yr oedd S4C yn cael ei gysylltu efo crachach Cymru erbyn hyn. Dywedodd hen lawiau'r Gymdeithas fod awydd ymgyrchu i sefydlu S4C fel corff nad oedd yn gymaint o ysglyfaeth i'r farchnad rydd. Ond erbyn diwedd y frwydr dros sianel Gymraeg, yr oedd pawb wedi ymladd, a doedd dim egni i sicrhau y byddai'n sianel ddemocrataidd, wedi ei gwreiddio yng nghymunedau Cymru.

Y mae'r elît yng Nghymru wedi gwneud arian mawr o'r sianel a doedd llawer o bobl ddim yn gweld y broblem efo'r brêcs yn cael eu tynnu ar y trên grefi. Yr oedd yr ymdeimlad yma mor gryf fel y mabwysiadodd y Gymdeithas y slogan "S4C Newydd" er mwyn cyfeirio at y ffaith nad oedd y mudiad iaith yn brwydro am S4C fel ag yr oedd.

Yr oedd hyn yn ogystal â'r diffyg undod ar y chwith, yn golygu mai tila oedd y frwydr yn ei chyfanrwydd, a llymder a'r Torïaid a drechodd. Heddiw mae'n fis Gorffennaf 2023, 12 mlynedd ers y weithred honno. Mae lot fawr wedi newid yng Nghymru, ac i mi yn bersonol.

Ar hyn o bryd yr ydym yn byw mewn argyfwng costau byw, ac mae diogelwch y Wladwriaeth Les wedi ei dynnu oddi tanom. Dim ond mewn enw yn unig bron iawn y mae'r Wladwriaeth Les yn bodoli. Er bod gwasanaeth iechyd yn dal i fod, a bod gwasanaethau cymdeithasol a budd-daliadau ar gael, mae'r diffyg ariannu yn golygu nad ydynt yn medru darparu gwasanaethau cyflawn, ac mae amodau gwaith o fewn y sectorau yma'n ddychrynllyd.

Mae'n amhosib bron cael budd-daliadau os ydych chi'n sâl neu'n anabl, dydi'r dôl ddim yn ddigon i neb fyw arno ac mae'r rhestrau aros mor hir ar y gwasanaeth iechyd fel eu bod yn achosi marwolaethau. Yr unig ran o'n 'gwasanaethau cyhoeddus' sydd wedi cael buddsoddiad yw'r system garchardai, sef offeryn strwythurol y wladwriaeth i gadw eu monopoli ar drais yn ein cymdeithas.

Efo'r blaned yn llosgi, mae'n anodd peidio teimlo braw am y dyfodol, yn enwedig gan fod gen i ferch fach ddwy oed. Pwysa'r argyfwng tai yn drwm ar ein bywydau, ac mae'n ei gwneud hi'n anodd meddwl am ddim arall. Celwydd yw cyfalafiaeth, ond yr ydym ni'n dal i'w atgynhyrchu'n ddyddiol. Rydym ar goll heb fudiad cryf i greu rhywbeth amgen. Mae angen mwy na lobïo'r wladwriaeth. Mae theori democratiaeth gyd-ffederal y Cwrdiaid yn un o greu democratiaeth uniongyrchol yn ein cymunedau yn lle creu gwladwriaeth amgen, ac mae ar waith rŵan yn Rojava, gogledd Syria.

Yr oeddwn i'n rhan o sawl mudiad protest, pob un efo'r strategaeth ei hun am sut i ddinistrio cyfalafiaeth. Y peth sydd yn parhau i fod ar goll ar y chwith yng Nghymru yw undod. Mae'r mudiad amgylcheddol, mudiad iaith, undebau llafur i gyd yn ymosod ar gyfalafiaeth o ogwydd wahanol, ond does dim cydlynu na strategaeth yn eu plethu ynghyd â sicrhau eu heffeithlonrwydd.

Yr oeddwn am amser hir yn derbyn mai fel hyn yr oedd hi, ac na fyddai pobl ar y chwith byth yn medru cyd-weithio. Bod jyst gormod o wahaniaeth ac amrywiaeth ar y chwith, tra bo llawer iawn o'r ceidwadwyr yn geidwadol am y *status-quo* a ddim lot o wahaniaeth rhyngddynt. Fodd bynnag, wrth i mi ddod i adnabod mudiad rhyddid y Cwrdiaid, fe ddes i sylweddoli bod un mudiad ym medru cysylltu nifer o frwydrau. Mae'r chwyldro yn Rojava yn dyst i hynny a dal dan warchae dros ddegawd ar ôl cael ei sefydlu. Chwyldro ffeminyddol a gwrth-gyfalafol ydyw, a dwi'n ysu i chi ddarllen mwy amdano ar wefan 'Academy of Democratic Modernity'.

Un dull y mae'r mudiad Cwrdaidd yn ei ddefnyddio er mwyn cryfhau cyfathrebu a chyd-ddealltwriaeth yw'r Tekmîl. Dyma'r broses o feirniadaeth adeiladol a hunanfeirniadaeth. Gall derbyn beirniadaeth fod yn anodd iawn, yn enwedig i ni a fagwyd yn yr oes neo-ryddfrydol hon o unigolyddiaeth, ond mae'n hanfodol i unrhyw fudiad iach ddelio â gwrthdaro - rhywbeth hollbwysig wrth feithrin undod ar y chwith.

Mae Tekmîl yn troi'r cysyniad o feirniadu o fod yn ymosodiad ar yr unigolyn i fod yn weithred o gymrodoriaeth a chyfeillgarwch. Wedi dweud hyn, nid yw mor syml â bwrw eich bol gyda rhywun sydd wedi eich cythruddo mewn Tekmîl. Mae'n gelfyddyd: nid dinistrio rhywun yw'r nod, ond eu helpu'n fedrus i adeiladu eu hunain.

Ceir egwyddorion eraill fel hyblygrwydd ideolegol a hefyd creu gofodau i grwpiau sydd wedi eu gorthrymu i ddadansoddi eu profiadau o fewn mudiad, ac yna yn gallu cynnig beirniadaeth adeiladol er mwyn brwydro yn erbyn gorthrwm o fewn mudiadau radicalaidd. Yn anffodus ar ôl dros 15 mlynedd o ymgyrchu gwleidyddol, mae nifer o brofiadau gwael gennyf i a merched eraill, ac mae'r dulliau hyn yn hybu awyrgylch o barch ac urddas gwirioneddol i bobl sydd eisiau bod yn rhan o'r chwyldro.

Calonogol yw gweld gweithredu uniongyrchol, er i lywodraeth San Steffan geisio deddfu yn erbyn protest gyda'r ddeddf trefn gyhoeddus ddiweddar. Er mor amherffaith yw'r mudiadau protest i gyd, mae llawer o bobl yn gwneud eu gorau i newid y byd drwy weithredu, gyda Cymdeithas yr Iaith, Just Stop Oil a Phalestine Action yn rai ohonynt. Efallai gallent gymryd gwersi gan fudiadau eraill am sut i roi ymreolaeth a chefnogaeth i'r sawl sydd yn gweithredu, gan ystyried nad oes mudiadau chwyldroadol torfol yn gweithredu ar hyn o bryd. Gall gweithredu fod yn brofiad anhygoel ac anodd ar yr un amser. Nid ar chwarae bach mae penderfynu i dorri'r gyfraith, ac mae cael dy arestio yn gallu newid dy fywyd mewn amryw o ffyrdd, er gwell neu er gwaeth. Un peth sy'n sicr yw bod wirioneddol angen pobl i wneud hyn er mwyn i unrhyw beth newid.

Yng Nghymru mae'r mudiad dros annibyniaeth yn mynd o nerth i nerth. Gwelir trefnu cymunedol dros yr amgylchfyd gyda mudiad Gwyrdd-ni yng Ngwynedd. Mae pobl yn dal i frwydro dydd ar ôl dydd dros eu cymdogion a'u cymunedau. Gobeithiwn yn fawr y gall argyfyngau newydd ein byd ansefydlog ysgogi'r difrifoldeb, cyd-ddeall a chyd-weithio sydd ei angen i ni barhau.

# Ailinor Evans

*Ers 2020, mae Ailinor wedi trefnu a chymryd rhan mewn nifer o deithiau cerdded i godi ymwybyddiaeth ynghylch yr argyfwng tai mewn cymunedau Cymraeg a'r broblem ail dai.*

Gallwn i deimlo'r dicter a'r drwgdeimlad yn yr awyr, y tân gwyllt distaw yn llosgi o fy nghwmpas ... o'n i'n ymwybodol o wacter y cartrefi yn fy stryd, yn y pentref, yn yr ardal ... ac mewn llawer o ardaloedd eraill yng Nghymru. Sylweddolais na allech chi gynnal sgwrs yn Gymraeg mewn rhai ardaloedd, yn enwedig mewn pentrefi ar arfordir Sir Benfro a de Ceredigion, ble dw i'n byw, a'r disgwyliad oedd bod pawb yn siarad Saesneg ... heb gwestiynu. A tu ôl i'r clwyfau agored yna, gallech weld yr hanes, y diwylliant, y bobl yn llithro i ffwrdd yn dawel. O'n i eisiau gwneud rhywbeth, o'n i eisiau gweithredu, o'n i eisiau brwydro gyda phobl yr ymgyrch.

Roeddwn i'n gallu cofio cerdded ar y tir o'r blaen, ddydd ar ôl dydd, filltir ar ôl milltir, gam ar ôl cam. Gallwn i gofio ein holion traed tawel yn y llwch. Gallwn i gofio cerrig garw, llwyd bwthyn adfeiliedig wnaethon ni stopio i edrych arno fe am ychydig o funudau; a gallwn i gofio teimlo ein bod yn gwneud rhywbeth hen, cyntefig, fel pobl ar bererindod, neu fel pobl yn mynd i'r gad.

Y daith gerdded i Lyn Celyn, Gorffennaf 2021 – Ailinor sy'n dal y Ddraig Goch

Ar y pryd, roeddwn i'n cymryd rhan mewn taith gerdded o Lanfihangel y Pennant i argae Tryweryn fel rhan o'r rali a oedd yn galw am newidiadau i atal y problemau cynyddol gyda niferoedd ail gartrefi. Roeddwn i'n meddwl am Mary Jones a wnaeth yr un daith, flynyddoedd maith yn ôl, i hawlio'r hyn a deimlai oedd yn eiddo iddi: Beibl Cymraeg.

Felly cerdded fel hyn, gyda chymrodyr, i bwrpas – yn fy marn i, mae'n cyffwrdd â'n hanes, ein daearyddiaeth, ein cartref.

Ces i e-bost un noson oddi wrth y Gymdeithas – cwrddon ni yn nhŷ un o'r aelodau, cwpwl o filltiroedd lan yr heol. Roedd llawer o weithgaredd wedi bod yng ngogledd Cymru dros y sefyllfa tai haf, ond siaradon ni am drefnu rali yn y de, rali fyddai'n cael ei lleoli yn Nhrefdraeth, rali a fyddai'n galluogi llais Sir Benfro i fynnu bod y gwleidyddion yn gweithredu: mae ein cymunedau ninnau hefyd, i lawr yma yn y de, yn cael eu dinistrio – rydym ninnau hefyd yn gandryll.

Roedd yn amlwg o'r dechrau beth allai fy rhan i fod – roedd y tân yn llosgi yn barod. Felly es i ymlaen i'w threfnu ...

Ar ôl sgwrsio ag un arall o'n grŵp, Jim, a gytunodd i fy helpu i drefnu, fe wnaethon ni fraslunio cynllun i gerdded o Dyddewi i Drefdraeth, gan ymuno â'r rali gan ei bod yn ei hanterth. Byddai'r daith gerdded yn cymryd dau ddiwrnod a hanner. Gallai unrhyw un ymuno â ni, i gerdded gyda ni. Byddai taith o'r fath yn cymryd egni, angerdd ac ymrwymiad ac felly'n adlewyrchu sut roedden ni'n teimlo am sefyllfa'r tai haf. Y bwriad oedd cynnal y gweithgaredd cryf a thrawiadol hwn i godi ymwybyddiaeth o'r rali a'r achos.

Roeddwn i eisiau paratoi rhywsut, plannu hadau ar gyfer ein taith, gosod pethau gweladwy ar hyd ein llwybr i gyd, fel ffordd o hyrwyddo'r daith yn lleol. Fel roedd yn digwydd, roedd ein grŵp wedi cael arwyddion wedi'u gwneud – arwyddion mawr, clir, dwyieithog, **'Mae tai haf yn lladd cymunedau'**. Felly wythnosau cyn y rali, cyn y daith gerdded, es i a Jim i lawr i ardaloedd Tyddewi, Llanrhian, Pengaer ac Wdig i ddosbarthu'r arwyddion. Wnaeth un o'r criw greu darlun i'w ddefnyddio ar gyfryngau cymdeithasol i hybu'r rali a gwnes i ei addasu i ddangos ein hunion drywydd fel y gallai unrhyw un ymuno â ni. Roeddwn i eisiau rhoi cyfle agored i bawb; tynnodd Jim a fi luniau o'n hunain ar lwybr yr arfordir ac yn y pentrefi, gyda'r arwyddion wedi'u gosod ar ffensys ac arwyddion ffyrdd y tu ôl i ni, i'w postio lan ar y rhyngrwyd ... a gwnaeth pobl ymateb i ni – roedden nhw eisiau cymryd rhan.

Ar yr un diwrnod, wrth wasgaru'r arwyddion, cwrddon ni â hen wraig mewn pentref bychan, ychydig y tu allan i ddinas Tyddewi, a wnaeth siarad â ni am sut roedd y stryd gyfan (ac felly bron yr holl bentref) yn wag am ran fwyaf y flwyddyn, a doedd neb ond hi a'i mab, a oedd yn byw mewn tŷ arall lan y stryd, yn siarad Cymraeg.

Y noson 'na, sylweddolon ni trwy'r cyfryngau cymdeithasol fod ein holl arwyddion wedi cael eu tynnu i lawr. Er ein bod wedi cael caniatâd gan berchennog pob eiddo ro'n ni'n clymu'r arwyddion iddyn nhw (ond am un arwydd ffordd, oedd yn perthyn i'r Cyngor), wnaethon nhw i gyd ymddangos mewn lluniau rhyfedd ar fwrdd rhywun, wedi'u difrodi, yn edrych fel caethion yn nwylo dieithryn.

Dywedai'r wefan gymunedol, yn Saesneg, fod yr arwyddion wedi digio ac achosi tramgwydd i drigolion y pentrefi. Ond mewn ardaloedd eraill yng ngogledd orllewin Sir Benfro (Boncath, Cilgerran, Llandudoch), mae'r arwyddion yna yn dal wedi'u gosod yn dynn ar ietiau a ffensys hyd heddiw.

Y bore cyntaf, cwrddon ni wrth y groes Geltaidd ar sgwâr Tyddewi. Roedd bore'r 21ain o Hydref 2021 yn weddol oer gydag ychydig o wynt, ond dim glaw. Roedd criw bach o saith ohonon ni, pob un yn dod o gefndiroedd a chyfeiriadau hollol wahanol – Jona, ffrind agos i fi o Lŷn, a fu'n helpu ar bob rhan o'r daith; Sophie, a gariodd ein holl offer yn ei fan; aelodau o Ferched y Wawr Bro Ddewi; rhai a oedd wedi dysgu'r iaith; llenor o Efailwen ... criw brith o ymgyrchwyr penderfynol ac eiddgar.

Fel ar y ddwy daith gynharach yr oeddwn yn rhan ohonyn nhw, daeth y Ddraig Goch gyda ni, dros gefn gwlad, yn dawel, ond yn enfawr ac yn lliwgar, yn chwifio yn uchel yn yr awel, o'r dechrau i ddiwedd. Wnaeth pobl wahanol ymuno â ni bob dydd – cyrhaeddon nhw, ar eu traed mas o nunlle yn y boreau bach, i gerdded dros y tir gyda ni o dan ein Draig Goch.

Yr hyn a'm trawodd oedd yr amrywiaeth o bobl oedd wedi troi lan – gwahanol oedrannau, gwahanol rolau mewn bywyd – pobl doeddwn i erioed wedi cwrdd â nhw o'r blaen, pobl o fy mhentref i, pobl a oedd wedi tyfu lan yn yr ardal, a phobl a oedd wedi dod adre. I fi, roedd hyn yn pwysleisio bod amrywiaeth enfawr o bobl yn barod i frwydro dros yr ymgyrch hon, nid dim ond grŵp bach, unigryw.

Ar y noson gyntaf, ar draeth Abereiddi, ymunodd tri dyn ifanc o Bontypŵl â ni a oedd yn bwriadu dod gyda ni am weddill y daith. Roedden nhw'n llawn egni ac roeddent yn cario pob math o declynnau bwyta a chysgu, yn cynnwys pebyll a chwcer bach tun mewn bag siopa. Roeddent yn frwdfrydig dros ben a daethon nhw i fod yn rhan gryf o'n hymdrech.

Dw i'n cofio dweud wrth un ohonyn nhw rhywbryd, "Mae ein trywydd dros draeth Trefdraeth yn dibynnu ar y ffaith y dylai y llanw fod allan, ond mae'n dal i fewn – sa i cweit yn siŵr beth ydyn ni'n mynd i'w wneud." Ac atebodd y dyn yn blwmp ac yn blaen, "Gwnawn ni wlychu ein traed 'te." O'n i'n hoffi ei agwedd, o'r dechrau i'r diwedd.

Cawsom gefnogaeth ar hyd ein ffordd. Daeth pobl allan o'u tŷ yn Nhre-fin i chwifio eu baneri nhw gyda ni pan o'n ni'n dechrau bant ar yr ail ddiwrnod. A pherthnasau trigolion yr aelwyd honno yn Nhre-fin, sef Sarah a'i mam, a gerddodd gyda ni y diwrnod hwnnw. Dywedodd rhai o'r bobl leol yn y tafarnau eu bod yn falch o glywed y Gymraeg. Daeth menyw lan atom yng Nghwm yr Eglwys, Anne, i esbonio sut cafodd ei thad-cu ei eni a'i fagu yn y tŷ "yna" a wnaeth hi ddangos y tŷ i ni; roedd hi wedi bod yn aros amdanom – roedd hi eisiau dweud wrthon ni am "ei phentref hi". Siaradon ni hefyd â phobl ar lwybr yr arfordir, a oedd yn sylwi ar ein baner ac yn holi am ein hachos.

Weithiau roedden ni'n siarad, weithiau roedden ni'n dawel. Darganfûm gefndiroedd y benywod a'r dynion a oedd yn cerdded.

Clywon ni'r môr yn chwilfriwio'n ddi-baid yn erbyn y clogwyni, a'r awel yn sibrwd trwy'r cloddiau. Roedd yna le, ac amser. Mae 'na rywbeth am gerdded ... mae'n cymryd amser ... mae'r byd yn arafu – wnaethon ni sylwi ar hen enwau caeau a oedd wedi cael eu nodi ar yr ietiau; defnyddion ni hen lwybrau dros diroedd amaethyddol; o'n ni'n cerdded dros greigiau, trwy istyfiant trwchus, ar fwd, ar raean. A'r holl amser, gallech glywed camau – brasgamu – traed yn disgyn.

Wnaethon ni gysgu yn hostel ieuenctid Tre-fin am un noson ac mewn fan ym maes parcio Wdig am y llall. Roedd eraill ohonon ni'n gwersylla mewn caeau. Ar y diwrnod olaf, diwrnod y rali, gwnaethom godi yn y bore bach pan oedd yn dal yn dywyll; cwrddon ni â'r bechgyn a oedd yn dod mas o'r llwyni, tu fas i orsaf tanwydd Wdig, a cherddon ni lan i sgwâr Abergwaun gyda'n gilydd. Roedd ychydig o law yn yr awyr a phrin oedd y golau oedd yn dod drwodd, ond er gwaethaf hynny, roedd grŵp bach newydd o bobl frwdfrydig yn aros amdanon ni yn y sgwâr, yn barod i gerdded.

Yn nhref arfordirol fechan Trefdraeth, ble mae tai teras tair ystafell wely yn gwerthu am dros £400,000, roedd rali fywiog yn digwydd. Yma, ble mae'r cymunedau yn cael eu gwagio o bobl leol, pobl ifanc na all eu cyflog dalu pris y rhenti, cymunedau sy'n llawn bythynnod hyfryd mae pobl yn cystadlu i'w prynu, daethon ni, o Dyddewi, lan trwy bentrefi'r arfordir sy'n dioddef o'r un problemau, gyda'n Draig Goch, i gyfrannu ein cefnogaeth weledol, gorfforol. Cawsom groeso cryf a chynnes.

Dyma eiriau dwy o'n criw anhygoel:

*"Wrth gwrs, er nad ydw i'n byw bellach yn Sir Benfro, dwi'n treulio lot fawr o fy amser yna ac mae fy mam a fy mrawd a'i deulu dal yn byw yna. Mae e'n torri fy nghalon i weld y coloneiddio economaidd sydd wedi cynyddu ar raddfa mor frawychus yn y blynyddoedd diweddar, sydd yn chwalu ein cymunedau Cymreig ac yn cau brodorion allan o'r farchnad dai."* (Gwenno Dafydd, 05/07/22)

*"Rwy'n byw yng ngogledd Sir Benfro (ac rwy'n wreiddiol o'r ardal) ac roeddwn i am ymuno â'r daith i helpu i dynnu sylw at y problemau sy'n dod o ail gartrefi a thai gwyliau yn y sir, a llawer o ardaloedd eraill. Maent yn arwain at brisiau tai uwch a gostyngiad yn nifer y tai fforddiadwy i'w prynu. Mae hyn yn broblem i bobl sydd am fyw (a gweithio) yn yr ardal drwy'r flwyddyn.*

*Mae chwarter o'r tai yn y pentref lle rwy'n byw yn ail gartrefi/tai gwyliau ac mewn rhai pentrefi mae bron pob un o'r tai yn ail gartref/tŷ gwyliau. Sut oedd hyn yn cael ei adael i ddigwydd?*

*Mae hyn yn effeithio ar y nifer o siaradwyr Cymraeg, y diwylliant a demograffeg yr ardal, am fod llawer o bobl ifanc o'r ardal ddim yn gallu fforddio byw yma. Mae'n dda bod y Senedd a chynghorwyr, o'r diwedd, yn edrych ar y mater, a gobeithio bydd mesurau'n cael eu cyflwyno i leihau nifer y tai sydd ddim yn cael eu meddiannu gan breswylwyr 'llawn-amser'."* (Pearl Kial, Tyddewi, 22/07/22)

# Tamsin Cathan Davies

Dw i wedi dod yn hwyr i lawer o bethau mewn bywyd – darllen, gwneud PhD, cael plant – ac felly y bu gyda Chymdeithas yr Iaith. Roedd fy ymwneud cyntaf gyda'r Gymdeithas yn Eisteddfod Genedlaethol Abertawe yn 2006. Ar y pryd, roeddwn i wedi symud yn ôl i Gymru ar ôl saith mlynedd yn yr Alban, Lloegr ac Iwerddon ac yn ailafael yn fy Nghymraeg ail-iaith rydlyd. Bûm yn aelod o bwyllgor Tyrfe Tawe, gŵyl cerddoriaeth Gymraeg Abertawe, ac roedd aelodau o'r pwyllgor wedi addo helpu i stiwardio gigs y Gymdeithas a oedd yn cael eu cynnal yn Barrons, clwb nos yng nghanol y ddinas a oedd wedi cael ei anfarwoli yn y ffilm *Twin Town*. Felly, dyma fi yn cyrraedd yn gynnar i gynorthwyo ac yn poeni efallai doedd fy Nghymraeg ddim yn ddigon da. Cefais swydd yn gwerthu tocynnau wrth y drws (roeddwn i'n adnabod Steffan Cravos, cadeirydd y Gymdeithas ar y pryd, wrth iddo ddod mewn, ond nid Alun Cairns, AS Ceidwadol gweddol leol, sydd efallai yn dweud rhywbeth am fy niddordebau ar y pryd). Yn nes ymlaen cefais sefyll yn y cefn yn y tywyllwch hudolus a gwylio Euros Childs. Erbyn yr ail noson, roeddwn i'n teimlo'n fwy hyderus.

Parheais i fynd i gigs y Gymdeithas yn rheolaidd ac i ambell i ddigwyddiad dros y blynyddoedd heb ymaelodi. Ond yn 2012, es i i'r gig mawr 50 ym Mhafiliwn y Bont, ac wrth imi dalu i fynd mewn, gofynnodd Colin Nosworthy imi a oeddwn i'n aelod. Fe wnes i gyfaddef doeddwn i ddim a gofynnodd a hoffwn i ymaelodi. Felly, ymaelodais yn y fan a'r lle. Dw i'n meddwl fy mod i jyst wedi bod yn aros i rywun ofyn imi ymaelodi. Erbyn 2012, roeddwn i wedi dychwelyd i fro fy mebyd yng ngogledd Ceredigion, yn gweithio mewn addysg uwch cyfrwng Cymraeg ac yn chwilio am gyfleoedd i fyw fy mywyd yn Gymraeg. Dechreuais fynd i gyfarfodydd Rhanbarth Ceredigion a dod yn rhan o weithgareddau lleol (mwy o gigs, ralïau, deisebau, stondinau), ac yna ymunais i â Senedd y Gymdeithas i gadeirio'r Grŵp Cymunedau Cynaliadwy ac yn nes ymlaen fel yr Is-gadeirydd Cyfathrebu.

Yr ymgyrch 'fawr' gyntaf roeddwn i'n rhan ohoni oedd un i gael deddf cynllunio newydd a fyddai'n sicrhau tai fforddiadwy i bobl leol a sicrhau asesiadau effaith iaith ar gyfer unrhyw ddatblygiadau newydd. Roedd yna fisoedd o lobïo, ymddangos o flaen pwyllgor craffu yn y Senedd yng Nghaerdydd, cyhoeddi ein dogfen cynllunio ein hunain, ac ympryd 24 awr i godi ymwybyddiaeth. Y pethau bach sy'n aros yn y cof. Dw i'n cofio mynd lan i siarad ag Aled Roberts, a oedd, ar y pryd, yn Aelod Cynulliad dros Ogledd Cymru. Rhywsut, cefais fy hunan yn mynd i gael cinio gyda Colin a staff Aled yn y mart da byw lleol. Ar wahân i'r menywod yn gweini bwyd, welais i mo'r un ferch arall yn y ffreutur anferth. Dw i'n fegan, ac roeddwn i'n amau yn fawr a fyddai unrhyw beth yno roeddwn i'n gallu ei fwyta. Ond na, cefais ffa pob ar dost heb y menyn a disgownt oherwydd fy mod i ddim yn cael pryd o fwyd llawn! Fel llawer o ymgyrchoedd, cafwyd gwelliant bach i'r ddeddfwriaeth, gyda'r Gymraeg yn dod yn ystyriaeth berthnasol wrth wneud penderfyniadau cynllunio, ond roedd rhaid aros bron i ddeg mlynedd i gael unrhyw fath o symud ar faterion megis ail dai, ac mae tai yn parhau mor anfforddiadwy ag erioed i bobl ifanc. Dyma fy mhrif argraff o ymgyrchu – mae pethau'n newid, ond yn boenus o araf, tra bod y Gymru Gymraeg yn dadfeilio o'n cwmpas yn frawychus o sydyn.

Dw i ddim yn teimlo bod unrhyw beth arbennig o ran bod yn fenyw wrth ymgyrchu. Mae dynion a menywod wedi bod yn gadeiry-ddion ar y Gymdeithas ers imi ymaelodi ac mae cydbwysedd da o fenywod a dynion ar y Senedd. Wrth gwrs, mae dynion gwyn yn tueddu i ddominyddu gwleidyddiaeth ond dw i ddim yn teimlo bod hyn wedi effeithio ar sut mae'r Gymdeithas yn gweithredu. Mae trafodaeth o faterion rhyweddol wedi codi o dro i dro, wrth gwrs. Yn bennaf, mae hyn wedi codi wrth i'r Senedd drafod fy hen ffrind – gigs y Gymdeithas. Mae cerddoriaeth Gymraeg yn tueddu i ddilyn

Eädyth, Gigs Eisteddfod Caerdydd 2018 (llun: Dafydd Chilton)

trywydd cerddoriaeth 'indie' Saesneg, gyda bandiau o fechgyn gwyn yn chwarae gitarau, er bod mwy a mwy o gerddorion benywaidd a chefndiroedd gwahanol yn dod i'r amlwg erbyn hyn, diolch i artistiaid fel Eädyth, Parisa Fouladi a Dom a Lloyd James. Dw i'n cofio'r Senedd yn trafod y lein-yp yr oedd y pwyllgor adloniant wedi'i lunio ar gyfer un Eisteddfod a oedd yn ddynion i gyd. ('Beth am Adwaith, Kizzy Crawford, Gwenno?' oedd y gŵyn.) Penderfyniad y Senedd oedd gofyn i'r pwyllgor newid y lein-yp a cheisio cael ambell i fenyw yn brif act. Nid aeth yr adborth i lawr yn arbennig o dda gyda'r pwyllgor, sy'n ddealladwy – mae'n anodd cael beirniadaeth o rywbeth rwyt ti wedi bod yn gweithio'n galed arno heb dâl yn dy amser sbâr. Fodd bynnag, newidiwyd y lein-yp.

Mae diogelwch menywod yng ngweithgareddau'r Gymdeithas hefyd wedi bod yn bwnc trafod. Yn ffodus, prin yw'r cwynion am ddigwyddiadau, ond maen nhw, yn ddieithriad, wedi bod am ddynion sydd wedi gwneud menywod yn anghyfforddus mewn gigs. Wrth gwrs, mae gan y Gymdeithas god ymddygiad ar gyfer gweithgareddau ac mae'n gallu eithrio unrhyw un sy'n ei dorri, ond mae'n broblem ehangach na'n gigs – adlewyrchiad o'r gymdeithas ehangach yw ymddygiad o'r fath. Mae'n fy nigalonni bod dynion (yn enwedig dynion ifanc) yn dal i feddwl ei bod yn dderbyniol ymddwyn fel hyn yn yr unfed ganrif ar hugain. Dw i'n siŵr bod y dyn ifanc meddw oedd wedi gweiddi sylwadau rhywiol a dinoethi ei hunan yn anweddus yn y ffordd tu allan i leoliad ein gigs yn yr Eisteddfod y llynedd wedi meddwl ei bod yn jôc fawr yn hytrach na throsedd ryw. Yn hyn o beth, dyw hi ddim yn teimlo fel petaen ni wedi symud ymlaen rhyw lawer fel cymdeithas.

Cafwyd trafodaeth hir am wneud cyfarfodydd Senedd y Gymdeithas yn fwy agored i rieni, ac yn enwedig menywod, er mwyn annog rhagor o bobl i gymryd rhan. O ganlyniad, mae'r Gymdeithas wedi nodi bod croeso i blant yn ei chyfarfodydd. Yn fy mhrofiad i, mae hyn yn gweithio'n iawn pan fydd plant yn fach – dw i'n cofio mynd lawr i Dresaith am gyfarfod gyda fy mab oedd yn chwe wythnos oed, ac aeth i ginio Nadolig y Gymdeithas ac i sgwrs gydag ymgyrchwyr heddwch cyn iddo droi yn ddwy – ond pan fyddan nhw'n dod yn ddigon mawr i siarad, dydyn nhw ddim o angenrheidrwydd eisiau mynd i gyfarfodydd y Gymdeithas, hyd yn oed un gyda bisgedi di-rif a bag o deganau yn y cefn. Fel arwydd o sut mae rolau dynion a menywod wedi newid i ryw raddau ers y 1960au, tad oedd y rhiant arall oedd yn dod â'i blant i gyfarfodydd yn rheolaidd. Rydym ni wedi cael o leiaf un cadeirydd benywaidd gyda thri o blant ifanc erbyn hyn, ond efallai ei bod hi'n arwyddocaol nad oedd ei phlant yn dod i gyfarfodydd yn rheolaidd. Os nad oes gan rywun gefnogaeth, dyw'r ymrwymiad i gyfarfodydd ac ymgyrchu ddim mor ymarferol. Ac yn fy mhrofiad i, mae cyfrifoldeb am blant yn dal i dueddu i gwympo yn drymach ar fenywod na dynion. Ond wrth geisio magu plentyn dwyieithog mewn ardal oedd yn gadarnle i'r

Gymraeg ond sy'n prysur Seisnigo, mae rhai o'r problemau sy'n wynebu'r Gymraeg wedi dod yn fwy amlwg – diffyg trosglwyddo'r iaith rhwng y cenedlaethau, diffyg gweithgareddau tu allan i'r ysgol yn Gymraeg, a diffyg defnydd o'r iaith ymysg y plant sy'n ei medru. Felly, mae'r gwaith yn parhau, er mewn cyfeiriad ychydig yn wahanol – dw i ddim yn gallu rhuthro lawr i Gaerdydd i drafod addysg Gymraeg bellach, ond dw i'n gallu gwirfoddoli ar bwyllgor y Cylch Meithrin lleol. 'Milain yw'r gwynt, mlân â'r gwaith'.

Tamsin yn y brotest trafnidiaeth ym Machynlleth, 2019, gyda'i mab a'i chi